Recordings of use - <u>Loans</u> have their due back date stamped
by staff, but to help us manage the bookstock and its display
to best advantage, would you <u>please record your consul-
tations</u> of books within <u>the library by initialling</u> below the
latest 'due back date' or last initials.

ENSAYOS SOBRE LITERATURA ESPAÑOLA

José Bergamín

Beltenebros

y otros ensayos sobre
Literatura Española

Editorial Noguer, S. A.
BARCELONA - MADRID

Primera edición: mayo de 1973

RESERVADOS TODOS LOS DERECHOS

ISNB: 84-279-5102-7

Depósito legal: M. 11.417-1973.

© José Bergamín, 1973

© Editorial Noguer, S. A. - Paseo de Gracia, 96 - Barcelona, 1973

Printed in Spain

1973. Aldus, S. A. Castelló, 120 - Madrid

Beltenebros

DE LA NATURALEZA Y FIGURACION FRONTERIZA DE LA POESIA

Beltenebros, nombre, por cierto,
significativo.

CERVANTES

En tus labios se apaga la noche de tu sangre
cuando encienden tus ojos la aurora de tu sueño.

J. B.

(Medea, la encantadora.)

El tiempo le habla a Psiquis, en la maravillosa fábula milesia que inventó — descubrió— Apuleyo, por la voz del viento y de las aguas: el espacio por la muda acción trabajosa del insecto y por el vuelo levantado del águila en los cielos. La mínima hormiga, su hermana terrestre, pone orden visible en el semillero de males que el amor de la carne venusina generaba en su ser, como multiplicidad infinita, incontable; y el insecto, la hormiga, por multiplicarse a su vez infinitamente, ordena en mágicas constelaciones finitas con sus granos o semillas generadoras, separándolas de su confusión maliciosa en el empeño, aparentemente imposible, de aquella penitencia y trabajo impuesta al alma, todavía mortal, como injusto castigo a su curiosidad de amor. Después, la caña o junco, amarillo y verde, quemado por el sol, movido por la brisa, aconseja al alma temerosa huir de la muerte de las aguas, para no mancharlas con su sangre, enseñándole en el tiempo que pasa, con el tiempo mismo, el aprendizaje paciente que le enseñó en el espacio la meticulosa voluntad ordenada de la hormiga. La voz melodiosa de los aires, en el vano instrumento del junco, de la caña, con su verde primaveral y su dorado otoño, le enseña a Psiquis el difícil aprendizaje de la espera, silenciosa y vacía, de la soledad, de la ausencia. Hasta que se pase, con el ardor de la luz solar, la cólera encendida de la hermosa bestia de oro, dejando prendida entre las ramas, tras la puesta del sol, el áurco rastro significativo de sus vellocinos, intocables sobre su cuerpo enfurecido y palpitante de vida y de deseo. Psiquis aprende, con la es-

11

pera, la cosecha de los encendidos copos de tan dorado fuego; para aplacar, con esa ofrenda de recuerdo, la ardorosa cólera impaciente de la ofendida divinidad de amor. Con el vuelo del ave jupiterina, vuelven sus ojos a más altas cimas espaciales su angustioso afán interrogante, su desesperación de alcanzarlas en tan imposible empresa hazañera. Y tendrá que ser el ave poderosa, con su vuelo, la que ponga en sus manos temblorosas la voz inaudita del agua negra, en cuyo duro espejo se esconde la fuerza sobrenatural que hace temer a los dioses mismos con esa, su amenaza de eternidad infernal de sombra que apaga la luminosa inmortalidad aparente de sus cielos. Y ante tan vencedor triunfo mortal del alma, sobre tiempo y espacio, fronterizos linderos de anonadantes infinitos fantasmales invisibles, inauditos, caóticos, la voluntad celeste todavía exige al alma un esfuerzo más arriesgado, una empresa aún más dificultosa o imposible, la de traspasarlos, adentrándose en sus abismos infernales, para irle a pedir a la divinidad de su antro el secreto mudo y espantoso de su eterna belleza tenebrosa. Y de nuevo la voz del tiempo, como un viento de eternidad (como la voz misma de la Historia), haciendo instrumento sonoro los intersticios de la piedra labrada por el hombre, en la altísima torre escaladora de afanes celestes, aconseja al alma que no muera; y cuidadosamente la instruye para que pueda vencer con su osadía, vivamente, los secretos mortales que la aguardan más allá de la tumba: para que triunfe, sin morir, más allá de la muerte, con su propia vida mortal, perecedera, venciendo esos infernales designios que quisieran aniquilarla. Sólo que la curiosidad de amor vuelve a tentarle; y cuando rompe el sello enigmático de la misteriosa hermosura tenebrosa, una inmensa nube de humo la envuelve, sumergiéndola en mortal y definitivo letargo, en inacabable sueño eterno, de cuyo fin la salva de nuevo el amor mismo, tocándola delicadamente con su dardo para levantarla definitivamente a sus cielos, a su divina eternidad: "que amor que sólo es alma, será eterno", nos dirá otro poeta. Pero la lección del mito lírico milesio, fabulosamente contada por Apuleyo, no debe olvidarse. Sobre todo, en el trance supremo de nuestra alma, en el límite mortal de nuestra vida, cuando, nos dice Cervantes, que no se ha de burlar el hombre con ella. Si tenemos ya entre las manos, temerosa, temblorosamente estremecidos a su contacto, el místico vaso del hechizo poético que puso en ellas, como la voz del viento o de las aguas, el silencio del fuego, en sus llamas sin luz por infernales, ¿trataremos, como Psiquis, curiosamente, de romper el secreto enigmático que lo sella, para perecer en la nube de sueño eterno de su belleza tenebrosa y para ser, nuevamente, eternamente salvados por el amor, siempre de nuevo, con su inmortal ascensión celeste que es asunción divina?

I

TIEMPO Y ALMA

> *Canto y cuento es la poesía.*
> A. MACHADO

> *Le temps ne passe pas,*
> *le temps commence.*
> P. ELUARD

"El tiempo no pasa, el tiempo empieza", dice el poeta. Y *así se escribe la historia* de la poesía, siempre desde el comienzo o principio. La poesía se cuenta como un cuento que nunca acaba, que siempre empieza o acaba de empezar. El canto de nunca acabar, de empezar siempre, es la poesía. Como el cuento de nunca acabar de empezarse es la novela —siempre novelera y, por consiguiente, poética.

La historia no es una sola manera de contar el tiempo, sino muchas. Las formas que la verifican se originan siempre en la poesía. El origen o fundamento de toda manera de contar —origen último y primero— es poesía. "La poesía y la historia todo puede ser uno", afirmó audazmente con romántica profecía nuestro Lope. Esto es, que se unifican, historia y poesía, totalmente, cuando se encuentran en esa totalidad o plenitud del canto que se cuenta y el cuento que se canta. Dice Antonio Machado: *se canta una viva historia/se cuenta, su melodía.* La totalidad única del canto y cuento que es, según este poeta, la poesía, se verifica trasponiendo sus términos de ese modo. La poesía empieza y acaba por esa trasposición espiritual que es como una especie de hipérbaton significativo. Presentimos a Góngora. ¿Y hay cuento sin cuenta? Sí, pero no hay que caer en ella. Un caer en la cuenta temporal, una cronología exclusiva, nos devora, como si cayésemos entre los dientes —sus dientes— trituradores (siglos, años, meses, días, horas, minutos...) de la enorme boca sombría de Saturno. *El tiempo no pasa*: ni *queda;* el tiempo siempre *empieza.*

17

2

La dualidad temporal del fenómeno estético, admirablemente advertida por Baudelaire, consiste en percibir en él esa constante posibilidad de lo imposible que le da su vida perdurable. (Su principio constante.) Todo lo contrario de la imposibilidad de lo posible que es, según Heidegger, la definición de la muerte. (Su constante fin.) El invento crítico de haber radicado, fundamentado toda la poesía en la posibilidad, es aristotélico. Pero tan sólo en el romanticismo encontró su total sentido; por el descubrimiento que hicieron los románticos —su descubrimiento decisivo— de la relación ineludible entre la música y la historia. Escuchar la historia y mirar la música, es hallazgo esencial del Romanticismo. Por eso pudo Baudelaire, su mejor epígono, ultrarromántico, percibir tan profundamente esa dualidad —esa ambigüedad— del fenómeno artístico, su naturaleza poético-histórica. Es la posibilidad constante de convertir un *momento histórico* en un *instante eterno*. La posibilidad de lo imposible. La poesía en cuerpo y alma.

La conversión de un *momento histórico* en un *instante eterno* es el milagro naturalmente sobrenatural de la poesía. Hasta la dialéctica histórica, por su romántica materialización del tiempo, en Marx, percibió este hecho, y con certera exactitud le llamó *encanto*. Marx nos habla del *encanto eterno* de la poesía homérica: lo que es afirmar el *encanto eterno* de la poesía. Encanto del canto. (Y del cuento.) No hay canto, ni cuento, sin encanto. Lo cual equivale a decir, perogrullescamente, que no hay poesía sin poesía. Pero ¿no habrá tampoco historia? Lo que hace posible el encanto homérico, según Marx, con paradójica contradicción histórica de ser, o parecer, eterno, es su lejanía temporal misma. La "intimidad de su lejanía", dirá el romanticismo ruso. El habernos ocultado, con la distancia, sus fundamentos estructurales; mejor dicho, infraestructurales. No siendo románticamente marxista es difícil diferenciar, en este caso, *estructura de forma*. La psicología de la Gestalt las identifica. Y la dialéctica de los poetas también. (Volvemos a Machado: *la poesía es un diálogo del hombre con su tiempo.*)

El milagro de la poesía —de la obra poética, de la creación artística— es el convertir un *momento histórico* en un *instante eterno*, precisamente porque la historia no es el tiempo, sino una manera de contarlo, sin dejar de cantarlo: o de oírlo cantar. Y una manera de contar —infinitamente posible— se sustenta siempre de esa sangre que es música, canto de la temporalidad pasajera, fugitiva. "Hay que *matar el tiempo* —repetí e insisto en repetir— para alimentarnos de su sangre"; que es la *música de la sangre* que cantó y contó, teatralmente, nuestro Calderón. La música de las estrellas. Siguiendo la unificación totalitaria de la poesía y la historia inventada —audazmente— por Lope. *Se canta una viva historia/contando su melodía.* Al decir esto, Machado intercala la vivacidad de la historia —o su vivencia— entre el canto y el cuento. La poesía es *canto y cuento* de vida y de verdad.

"El tiempo también pinta", dijo Goya: el tiempo también canta y no sólo cuenta.

Luego, el arte poético existe —por la obra poética, la creación artística (musical, pictórica...)— y existe como tal, cuando insiste en la conversión del *momento histórico* en *instante eterno;* cuando consiste en esa conversión; porque empieza ("el tiempo siempre *empieza*") por ser una *coincidencia* temporal, una convergencia extremada, de su *forma,* su *expresión* y su *significado.* Esto es, un *estilo.*

Toda *forma* poética implica un *estilo,* que no basta para explicarla; que no es solamente lo que la explica; que no la explica enteramente. A no ser que se sobre a sí misma. (Hermosura es exuberancia, afirmaba Blake.) La forma poética, como la forma viva, se implica por su permanencia, se explica por su variación. Los elementos integrados de la *forma* poética, artística: su *expresión* y *significación,* son los que la constituyen en tríada fronteriza o trascendente, dándole el impulso por el que se verifica de este modo, por el que se trasciende o sobrepasa a sí misma, que es lo que decimos *estilo*. Un *estilo* supone una *forma*, que, a su vez, presupone una *elemental y determinante* constitución *expresiva* y *significativa*.

A estos tres términos generadores de la forma poética que unifican, les llamó Dante: *dicción, ficción y ritmo*. Su convergencia los convierte en poesía.

II
ESTRUCTURA SECRETA DE LA POESIA

Convertir es converger, decía Unamuno. Por sentido etimológico —en este caso unamuniano— y por su representación imaginativa geométrica, comprendemos perfectamente que una conversión sea, por sí misma, una convergencia. Y, por tanto, una concentración o centralización. Nos es fácil, casi inevitable, imaginarnos la concentración lírica en poesía, por su correspondiente figura geométrica; y más, si proyectamos su alcance metafórico con la evocación ondulatoria de la piedra en el agua. Toda vibración o estremecimiento exige para nuestra mirada esta viva imagen aparente: luminosa o sonora. De este modo podemos figurarnos la *estructura secreta* de la poesía trazando en un papel el esquema primitivo de la estructura invisible del átomo tal como lo trazó originalmente Lord Kelvin (fig. 1).

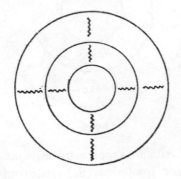

Fig. 1

El levísimo signo del muelle, marcado con esa diminuta letra: *m,* nos señala con ese trazo literal purísimo la inicial, literalmente significativa, de palabras tales como: muerte, mundo, música, metafísica, misterio, moral, magia... Expresamente elegidas, estas últimas, siguiendo el orden alfabético de sus vocales (pensando en la poesía) las colocaremos de este modo:

Magia.
Metafísica.
Mística.
Moral.
Música.

Pensemos que, por su colocación y significado, estos términos nominales pueden designarnos gráficamente con exactitud aquéllos que presuponemos como límites, términos o linderos de la poesía misma. De cuya estructura secreta trazamos, entonces, este esquema de concentración o ensimismamiento simbólico (fig. 2). Tene-

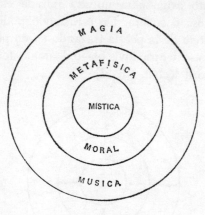

Fig. 2

mos ante los ojos, señaladas por estos círculos concéntricos, dos zonas expresivamente fronterizas del centro místico o misterioso de la poesía: una, metafísico-moral; otra, mágico-musical. ¿Podemos significar por estos términos o linderos fronterizos la limitación figurada de la poesía misma?

Esta concentración simbólica, esta confluencia, convergencia, de los términos que elegimos por su inicial literalidad misma, parecería querernos inclinar a una supersticiosa afirmación literal de la poesía tomando el pulso de su espíritu como si pulsáramos un sector limitado de la superficie de su onda, como hace el físico, para medir la totalidad de su conjunto. En realidad, cuando la creencia popular nos hace contemplar en la palma de nuestra mano este mismo signo inicial de la letra M, como significativa advertencia del misterio mortal de nuestra vida, de su designación para la muerte, nos está repitiendo, sin saberlo, la misma actitud moral de Dante, ante la poesía, iniciando literalmente su visión admirable, tras la *Vida Nueva,* en este lindero significativo de la muerte. Su visión de ultratumba afirma también este misterio de la vida humana como reiteración imaginable para el hombre precisamente por esa proyección espiritual imaginativa que lo sitúa más allá de la muerte. Muerte, mundo, música, triangularizan su oposición extrema en el *Poema Sacro* por su inicial literalidad misma. La letra significativa no mata el espíritu, lo vivifica: porque lo verifica. La literalidad de la poesía, en consecuente relación con la visión de Dante, llevará después a Petrarca al descubrimiento de su mundo específicamente propio: la literatura. Una caprichosa elusión de letras convierte esta palabra literalmente en LAURA. Recientes comentadores italianos del petrarquismo nos sugieren esta cuestión, cuando interrogan: ¿no habrá poesía posible para el hombre (petrarquismo-humanismo) sin literalidad espiritualmente significativa, sin literatura originaria? *La letra que entra con sangre* es el signo que pulsa ese latido, ese estremecimiento espiritual ("solamente la sangre es espíritu") que decimos poesía, la poesía: cuya esencia o sustancia figurativa (la índole, la naturaleza de su viva figuración) es *la que estaba escrita* por una necesidad o fatalidad superior o providencial (mejor, providente) o divina: la de su letra o letras: la literatura. Añadiremos, parodiando al poeta, que "mientras haya una literatura para el hombre significativa —una misteriosa, maravillosa literatura significante— habrá poesía".

Seguimos, pues —y no sin inquietud, sin temor—, esta arriesgada ruta que nos señala con su letra inicial de muerte, el misterio, el milagro vivo de la poesía: su mística literatura perdurable. Y se nos representa denominada, definida, determinada, por esos términos *palabreros* de magia, metafísica, mística, moral, música... que la significan expresamente como sus propias fronteras naturales —y sobrenaturales—: los términos, los límites, los linderos de su propia verificación. Dos zonas fronterizas nos señala, al ensimismarse, de este modo, la poesía; al tomar o querer tomar conciencia de sí misma centrándose, concentrándose (no hay conciencia sin concentración), haciéndolo con sus propios términos o linderos determinados: una, como de *corteza* o *sobrehaz* —que diría nuestro Fray Luis, que tan bien supo conocerla— la mágico-musical. Otra, interna, hacia adentro, de pulpa o de carne, interior, como la de un fruto: la metafísico-moral; que, a su vez, incide y coincide, interiormente, como si éste hubiera sido, y fuera, el de su núcleo generador con su semilla escondida; esa especie de místico corazón oscuro y secreto de su viva llama. En la poesía se amortigua, para hacerse luminosa y ardiente, aquella explosión viva, espontánea, poderosa de que, como la llama se origina, decían, admirablemente, los viejos químicos, en lenguaje todavía semialquimista: "La llama es una explosión amortiguada". La poesía —expresada por la palabra humana y significada literal, literariamente, por ella, también: "Llama de amor viva." O como en la simbólica visión beatífica de Beatrice, lenguaje que se viste (¿se enmascara?) *"de color de llama viva"* (de color de Dios, diría Lope). Los estoicos creían pulsar en el corazón oscuro de la llama el latido vivo de la divinidad.

Estas fronteras vivas de la poesía son, decimos, música, moral, mística, metafísica, magia... son linderos de fuego y de sangre. Porque lo son de la palabra creadora, engendradora llameante de vida y de luminosa verdad. La "palabra humana en el tiempo". (A. Machado: la palabra *esencial*.) De aquí el que, como fronte-

26

ras, lindes perecederos o términos definidores, engendradores de su trascendencia, sean, por sí mismos, exponentes divinos: la *marca* fronteriza, trascendente, de esa misteriosa y terrible divinidad: la del *Verbo encarnado*.

Los latinos divinizaron imaginativamente a sus *términos* determinantes, como señal de límite o lindero de alguna propiedad terrestre, materializándolos con la apariencia pánica humanizada de un dios barbudo. Y su ofrenda consistía en enterrar, al pie de su figura, unas cuantas monedas sin valor, un trozo de carbón o algunos clavos, metidos en una cazolita de barro. Andando el tiempo, cuando la figura material del dios hacía ya mucho que había desaparecido, los que, excavando en aquel lugar, sin saberlo, encontraban la cazolita con su contenido ilusorio creían que era algún tesoro robado por los duendes o maliciosamente transformado por ellos. Y así nació aquella creencia popular que llamaba a tales engaños: *tesoro de duende*. No olvidemos esta leyenda cuando leamos poesía. Porque bajo sus términos definidores — música, moral, mística, metafísica, magia... — nuestra humilde ofrenda simbólica puede convertirse también, al parecer, en nuestras manos, *en tesoro de duende*.

Advirtamos que la poesía — que puede tener su ciencia propia, su "gaya ciencia" — para tener conciencia de sí no tiene nada que ver, ni que hacer, con la ciencia misma. Como tampoco la historia. La historia — dicen los escépticos historiadores de todos los tiempos — no puede ser ciencia. Pero la ciencia para serlo de veras — nos dicen los sabios científicos de hoy — tiene que ser — o hacerse — historia. ¿Y la poesía? La poesía ¿hace la historia?; y, por consiguiente, ¿hace también la ciencia? Por lo menos digamos, prudentemente, que *las hace posibles*.

Como hay en las formas de la vida — en las cosas — según nos dice el sabio naturalista Taillhard, un dentro y un fuera, hay también en las formas vivas del arte, este dentro y fuera de la forma, una aparente dualidad del fenómeno poético que lo constituye como viva posibilidad de ser pensado. Así decimos, paradójicamente, que no hay forma sin un contenido, formal, o, de otro modo, que no puede darse un contenido sin su forma. Pero esta interioridad de la forma, su contenido psíquico, espiritual, en la poesía como en la vida, tiende a desdoblarse (para expresarse, para significarse), tendiendo a espejarse en una máscara de sí mismo, fuera de sí, originando esa doble faz de su aspecto propio. No hay rostro sin máscara en poesía; por eso canta y cuenta la poesía, aunque cante el cuento y cuente el canto, para interiorizar, invirtiéndolos de ese modo, su natural exterioridad expresiva y significativa. A esta dualidad natural, con la que empieza por diseccionarla, dicotomizarla, nuestro pensamiento, se añade una tercera dimensión consiguiente, por la posibilidad misma de su relación y separación; divisoria diferencial e integradora; y, entonces, pensamos su propia división *dual*, separadora, como una tercera línea que la junta, que la cierra, que la define. La triangulizamos, por decirlo así, con sus propios términos generadores para integrarla o reintegrarla a la unidad total de su ser. De aquí la fisonomía clásica de su división tricotómica: épica, lírica, dramática en los griegos (grave, medio, humilde o sublime, mediocre y simple, en Cicerón; trágica, cómica, elegíaca, en Dante, etc...). Y la consiguiente inseparabilidad, en el fenómeno poético mismo, de esta forma de división tricotómica que hacemos al pensarlo. De modo que, aun en sus manifestaciones más puras, cualquiera de ellas no hace más que marcar su tono, acentuándolo sin eliminar las otras dos. Ni aun la más pura modalidad lírica, suprema semilla engendradora, según Leopardi — esencialidad sustancial de la poesía misma —, puede eludir sus otras dimensiones figurativas al reducirlas; y no puede dejar de ser dramática o épica, hasta cuando menos lo parece: grave, mediocre, humilde, simple, trágica, cómica, elegíaca... Ninguna de las tres dimensiones sintetiza nunca dialécticamente del todo las otras dos, de manera que en ellas dejamos de sentir la famosa "oposición triangular" de Minkowski. La unidad del fenómeno poético no deja, sin embargo, de manifestársenos todavía con otra cuarta dimensión espacial: la de su temporalidad, que lo determina.

Por eso "canta y cuenta" (Machado) o conversa y canta (Elliot) la poesía; pero, ambas cosas son inseparables, a su vez, con una consecuente diferencia de tono, de acento; de grado, en suma, y no de naturaleza. "La música de la sangre" (que dijo nuestro Calderón) puede parecernos entonces, entre otras cosas, una definición exacta de la poesía. Repito: que *tenemos que matar el tiempo para alimentarnos de su sangre*. Sangre que es, en nosotros, canto y cuento de verdad y de vida: de poesía, y no solamente de historia. Escuchar, oír la historia, mirar y ver la música, es, como si dijésemos, empezar a entender, a enterarnos, de la poesía: a enterarnos, adentrarnos en ella.

¿A enterarnos en ella y enterarnos por ella (por la poesía) de Dios?

Poesía es creación. En dos poetas líricos españoles (los más líricamente puros): Bécquer y San Juan de la Cruz, se afirma este entusiasmo, este entrar en Dios por la poesía, este deificarse o divinizarse por ella. Como en Dante. Hasta *vemos* —y oímos— un parecido *físico*, de fisonomía lírica, entre Dante y San Juan. Parecido verbal y místico. De coincidencia en la totalidad central del misterio tembloroso de la poesía (su núcleo de centralización o concentración de nuestro diagrama). Coincidencia místico-amorosa en los tres —en la poesía de los tres (Dante, San Juan y Bécquer)—, que, sin embargo, aproxima sus resonancias —de donde el parecido de su fisonomía formal en Dante y San Juan— por la corteza o sobrehaz de la zona externa (la mágico-musical de nuestra figura). Advertimos que estos poetas nucleares (según nuestra hipótesis de la "estructura secreta" de la poesía) —Dante, San Juan, Bécquer...—, no pueden eludir su referencia y su pertenencia, expresamente acentuada en ellos, de las otras zonas señaladas (la media y la exterior: mágico-musical y metafísico-moral, de nuestro diagrama). De manera que nos enseñan que el grado de poética concentración —que es conciencia psíquica, crecimiento o intensificación espiritual por serlo—, no excluye, al contrario incluye: fortalece, enriquece, al traspasarlas, las otras dos zonas anteriores. Esto es, que un poeta enteramente místico (hablo de un misticismo *exclusivamente poético*) lo es, triplemente enriquecido de poesía metafísico-moral y mágico-musical a la vez.

¿Se nos da este caso en los poetas reducidos a las otras zonas señaladas? Creo que no. Tenemos ejemplos característicos en nuestra poesía española. Dos poetas, a su vez caracterizados por la primera zona mágico-musical, nos parecen Garcilaso y Góngora. Otros dos, característicos de la zona media, metafísico-moral, nos parecen Jorge Manrique y Herrera; en esta misma zona, pero sin que nos atrevamos a dejarle enteramente en ella, y tampoco del todo en la del centro o nuclear, Fray Luis de León. En ninguno de estos poetas, ni siquiera en los de la afirmación mágico-musical de la poesía, como Góngora y Garcilaso (podríamos añadir a Gil Vicente), o en los de la metafísico-moral, como Herrera y Jorge Manrique (podríamos añadir a Quevedo y Lope, y antes, a Aldana), hay eliminación total posible de misticismo lírico; sin el cual no hay poesía. Pero, si no total, sí parcialmente, podemos experimentar en su poesía cierto intento de huir o rehuir temerosamente el centro oscuro de la llama poética que les prende. Algo análogo sucede en la zona media, en la que se nos acentúa expresamente, expresivamente, la significación metafísico-moral de la poesía; los poetas de esta zona media nos ofrecen un curioso contraste con los de las otras dos zonas, externa y central o nuclear; como si quisieran excluirlas apoyándose en ellas, sin embargo, para mantener su equilibrio propio.

III

POETICA DEL TERCER OIDO

Un ejemplo evidente nos lo proporciona la lectura de las *coplas* de Jorge Manrique. Por su doble situación crítica: histórico-poética. Por su admirable conversión lírica de un *momento histórico* en un *instante eterno*. Esta poesía se mueve con toda amplitud y señorío, sin tener que salirse, al parecer, de su propia zona fronteriza, que es, evidentemente, la de su propia naturaleza o índole poética determinante, y que situamos, críticamente, llamándole metafísico-moral. Su motivación lírica (¿es una elegía, no es una elegía?, ¿mantiene la estructura formal de *plan* trovadoresco?, etc...); toda la rica constelación de virtudes poéticas que la caracteriza, su profundísima resonancia espiritual, el enorme eco de su voz en el tiempo (como la campana que tañe a muerte, según Ticknor, monótona y de tan puro sonido, etc...); la melancolía de su caricia temporal a lo huidero, pasajero, de una viva sensualidad fugitiva... En fin, todos los tópicos, ya olvidados de puro sabidos, de tan justos elogios a sus excelencias, nos interesan; pero lo que nos interesa más subrayar, con ellos, y sin ellos, es la coincidencia de sus críticos en la determinación de ese, su propio ámbito espiritual, y que la define apartándola de la zona del encanto mágico y musical de su dicción misma para centrarla en la zona media que le señalamos. La valentía, diríamos, de su decisión moral, metafísica, al significarse y expresarse, sin eludir el margen, sobriamente místico, misterioso, que la acusa, que la respalda, con la evocación de la muerte, que la afirma, quedándose del lado de acá, terrenal, humano; para cantarla, y

33

contarla, como viva expresión y significación de lo pasajero de esta vida humana, de la efímera temporalidad de su destino que así nos cuenta y canta.

La explosión poética de lirismo radial que se nos amortigua por la palabra sosegada del poeta, en esta poesía, en esta llama, es de una riqueza complejísima bajo el aparente tañido simple, monótono, de su salmodiosa repetición mágico-musical de palabras. El poeta aquí (como hizo el Dante en su *Comedia*) parece ceñirse a un ritmo único, de aparente monotonía auditiva, para verificar por él, traspasándolo melodiosamente, la atención de un *tercer oído*, abierto a la sima insondable, oscura o luminosa, del "maravilloso silencio". (El *tercer oído* de que nos habló Nietzsche por su Zaratustra.) Es curioso advertir que el *momento histórico*, que pudiéramos decir exterior a la poesía de Manrique, a sus *Coplas*, a su *Cancionero* (de otoñal madurez medieval, que diría Huizinga), favorecía la culminación poética de este *tercer oído* en los españoles, cuya larga experiencia lírica, a través de los *Cancioneros*, se nos manifiesta tan dispuesta siempre a buscarlo, por la intelectualización, racionalización, idealización, de sus propios temas amorosos, morales, religiosos y aun políticos. Este proceso parece madurar en la mente, en el pensamiento de Manrique, que, en su *Cancionero amoroso*, nos muestra, como si dijéramos, la esclerotización o cristalización mortal de tan viva sangre. El salto al *doctrinal cristiano* de sus *Coplas* (esto es, motivación metafísico-moral de la poesía) le hace cambiar su voz, trasmutando, no solamente su sentido y sonido, como por una diferencia gradual de intensidad o profundidad de sentimiento —y pensamiento— y de su consiguiente perfección de forma, sino transformando mucho más hondamente todavía, con este salto (verdadero salto de las tinieblas del tiempo y de la muerte), la índole, la naturaleza, el estado físico, metafísico, moral, religioso, de aquella poesía misma: su estilo. La originalidad tradicional —que dirá Salinas— de las *Coplas* radica, a nuestro parecer, precisamente, en esto: en un cambio de *estado poético*, que es, naturalmente, un cambio de *naturaleza lírica*. Por eso es tan original, tradicionalmente, esta

34

poesía. Porque una fisura de discontinuidad histórica —una rotura de la tradición precisamente— se ha producido insensiblemente en ella; y por ella, las *Coplas,* a esa sutilísima distancia abismal del *Cancionero* del propio poeta, han verificado el milagro de convertir ante nuestros ojos, para nuestros oídos, un *momento histórico* en un *instante eterno.* Han creado, o recreado, un estilo. Esta, que decimos fisura, discontinuidad, instantaneidad maravillosa, está captada por el poeta, paradójicamente, al ir contándonos y cantándonos, por huidero, por fugitivo, por la viva escapatoria temporal que se lo prescribe, la imposibilidad aparente de lograrlo. El poeta, digo, no ha tenido que extremar los límites morales y metafísicos de la zona o ámbito que determina humanamente su lirismo, para templar su voz con tanto sosiego, y decirnos sin forzarla, sin extremarla, esa pura verdad poética; esa metafísico-moral afirmación, total y única, de la poesía misma.

Manrique ha descubierto (como si dijéramos) la circulación de la sangre musical del *tiempo* en la poesía; o la circulación temporal poética de la música en el pensamiento. (Por eso, entre sus poetas predilectos, Antonio Machado, le levantó un altar: *"entre los poetas míos/tiene Manrique un altar".*)

Otros ejemplos de poetas —los que señalamos en esta misma zona fronteriza que decimos metafísico-moral, como Herrera, Quevedo, Lope, Aldana... y, singularmente, Fray Luis de León— nos ofrecen ese equilibrio de su situación intermedia, marcadamente acentuado, a veces, por su oscilación misma, de magia y música verbal, de trascendencia mística. En el caso de Fray Luis, que vacilábamos en situar enteramente en esta zona media, por la constante resonancia mística que subraya su petrarquismo, conviene, sin embargo, insistir en este hecho de su petrarquismo precisamente; es decir, en esa índole metafísico-moral trascendente que verifica su poesía. Con Herrera me parece Fray Luis el más profundamente petrarquista de los grandes líricos españoles. No creo, en cambio, que pueda considerarse así al petrarquismo superficial de Garcilaso, donde lo que a nosotros nos parece esencial de Petrarca — que llamaríamos su invención o descubrimiento humanístico del mundo específicamente literario de la poesía — no aparece sino muy tangencialmente, y como por una coincidencia imitativa de los poetas clásicos (Virgilio) o de la constante transcripción lírica de Sannazaro. Como, por otra parte, hasta el sentimiento amoroso del toledano se superficializa, se mantiene siempre a flor de piel, en esa maravillosa piel poética, de epidérmica musicalidad mágica, que le da su singular encanto, el hecho profundo, esencial, sustancial del petrarquismo — su dimensión metafísica y moral —no fluye a ese mágico, prodigioso hechizo melodioso de sus versos. En cambio, en Fray Luis sucede todo lo contrario, como si rechazara expresamente el dulce atractivo melódico italianizante del encanto garcilacesco, despoja su verso de tan mágico poder musical, para penetrar con la palabra en la zona fronteriza de ese *tercer oído*, estilete agudo, penetrante, que abre herida en una musicalidad mucho más honda; una musicalidad del silencio, como la descubierta por la sustantiva esencialidad lírica metafísico-moral del petrarquismo — del petrarquismo de Petrarca. *La música extremada* de Fray Luis toca con esas delicadísimas antenas invisibles, inaudibles, una *alba región luciente* del alma humana, en la que su armoniosa figuración estremecida, temblorosa, vibrante, se funde o confunde con la de la luz, como en el *Misterio* dantesco. Lope, que con su enorme poder creativo — y recreador — mantuvo el equilibrio vivo de su poesía siempre oscilando, temblorosamente, como el de la aguja imantada para señalar hacia el norte amoroso de su misticismo, y apoyando su voz en esa otra riquísima musicalidad mágica de la tradición popular española — de la que tejió su mejor poesía Góngora —; Lope, digo, nos da en un solo verso esta estupendísima definición de la situación crítica, eterna y fugitiva, de esa mágica musicalidad de la poesía: su encarnadura espiritual más viva: "la música — nos dice Lope — en el aire se aposenta". Eternización instantánea de lo momentáneo y pasajero: *la música en el aire se aposenta*. Pero cuando la música se *aposenta* en el aire, nos dirá Fray Luis que *"el aire se serena y viste de hermosura y luz usada"*. Luz no usada, luz nueva es siempre la llameante luz del fuego. —Se viste *de color de llama viva (¡oh llama de amor viva!) de color de Dios*—. Y es porque esa música que no solamente se posa, volandera, para pasar, por el aire mismo que la lleva *(que voy de vuelo)* apoyándola con su resistencia, sino que *se aposenta* en él, no es la de un arte mágico de grácil musicalidad pasajera, voladora *(las artes hice mágicas volando,* nos dice Lope), caricia de fugaz sensación sonora —o no lo es solamente—, sino una música distinta, que, *al extremarse* de tal modo, se rige por la voluntad de una poderosa mano que la gobierna, que la guía: *"la música extremada/por una sabia mano gobernada"*. Esa música que *en el aire se aposenta,* vistiéndolo de hermosura y nueva luz, es música inaudita, invisible, naturalmente trascendida, por su propia sobrenaturalidad metafísica, de místico estremecimiento poético; aunque instrumentalmente, o porque moralmente, la gobierna *una sabia mano.* Es música que se hace luz. Luz invisible, música inaudita. En una palabra, la poesía lírica de Fray Luis, en la veintena de poemas admirables que nos ha dejado. Poesía metafísico-moral; de cabeza y de corazón, tan equilibrados en su intento, que no paraliza su propósito el estremecido oscilar —como el de la llama— de la aguja finísima, penetrante, indicadora mística, decíamos, de ese norte amoroso de su forma; el misterio de la poesía, que, para este poeta, como para Lope, San Juan y Bécquer, se llama Dios.

Cuando Fray Luis contempla el cielo, *"de innumerables luces adornado",* y mira *hacia el suelo, de noche rodeado, en sueño y en olvido sepultado, el amor y la pena,* nos dice, despiertan en su pecho *un ansia ardiente.* He aquí un hombre del siglo XVI que responde a la pregunta de nuestros sabios actuales cuando éstos, cualquiera de ellos —que pueden ser Edington, Einstein, el P. Taillhard; un astrónomo, un físico o un naturalista...— se preguntan: ¿qué podía sentir o cómo podía sentir un hombre del siglo XVI — o hasta del siglo XVIII (pensemos en el filósofo Kant) — cuando la contemplación de la bóveda celeste era, efectivamente, una bóveda para él; un hombre que todavía no podía pensar en los "siglos de luz" que le separaban de esas estrellas, adorno luminoso de la noche?, ¿cómo podía respirar, tan a sus anchas, en ese espacio cúbico, cuya atmósfera cósmica, tan próxima a su pensamiento, le circunscribía, de ese modo, a una espaciosidad tan breve que, a nosotros, hombres modernos, que hemos aprendido a sentir en la duración de un espacio-tiempo vital, nos asfixiaría por esa perspectiva tan cerrada sobre nosotros mismos? El hombre del siglo XVI, nuestro poeta Fray Luis, acaso para no asfixiarse físicamente, en efecto, como nos afirman los sabios de hoy, pensaba ese cielo metafísicamente. Y también, como dos siglos después, el filósofo Kant, moralmente. El ámbito metafísico-moral, creado a su alrededor de tal modo, le ofrecía, entonces, al hombre, una circunstancia de poesía; su propia circunstancia viva, por la cual *el amor y la pena* despertaban en su pecho *un ansia ardiente,* al mirar luego hacia la tierra, *de noche rodeada, en sombra y en olvido sepultada.* La aventura del pensamiento renacentista no había lanzado su propio ímpetu adivinador, todavía, más allá de sus propias fronteras, para añadirle una cuarta dimensión integradora al espacio humano en que sentía despertarse la pena y el ansia de su prisión terrena. Entonces, cuando con su *paso callado, el cielo vueltas dando, las horas del vivir le va hurtando,* el hombre, nuestro Fray Luis, piensa, siente, temerosamente estremecido, que puede oír, que puede escuchar con sus ojos este *gran trasunto* celeste; mirando el *gran concierto, de aquestos resplandores eternales, su movimiento cierto, sus pasos desiguales, y en proporción tan iguales.* Y al hacerlo así descubrir una *inmensa hermosura* que se le muestra, se le manifiesta toda, enteramente, resplandeciendo de *clarísima luz pura, en la que jamás anochece*: una primavera eternamente florecida, con sus prados frescos y amenos, sus mineros riquísimos, sus senos deleitosos de valles ocultos... todo ello traspasando *el aire todo,* hasta llegar a *la más alta esfera,* donde también se oye otra inaudita música (inaudito canto), que, como esta invisible hermosura, es *otro modo de no perecedera música, que es la fuente y la primera*. Música inaudita, invisible luz. *¿Qué mirarán los ojos que pudieron ver esa hermosura que no les cause enojos?* Quien oyó *esa dulzura, ¿qué no tendrá por sordo y desventura?* *¡Oh voz! ¡Oh son!* —exclama el poeta—, *¡si tan siquiera una pequeña parte descendiese en el sentido, y fuera de sí el alma pusiese, y toda en el amor la convirtiese!* Este es el son cuyo *inmortal dulzor al alma pasa*. Este es el que por esos mismos años del siglo nos dirá otro poeta divino que es *el dulce son de Dios del alma oído*, con cuya *consonante respuesta* humana *se mezcla una dulcísima armonía. A cuyo son divino, el alma que en olvido está sumida, torna a cobrar el tino y memoria perdida, de su origen primero esclarecida*. Si vemos lo invisible, si oímos lo inaudito, esa luz, esa música, que tan divinamente nos envuelve, lo hace porque nuestro pensamiento, nuestro sentimiento, *rompiendo el puro aire*, alcanza ese *alma región luciente, que ardiendo se traspasa*, y en donde *más pura mana la fuente*, que no satisface la sed, el *dulce beber que nunca sacia*, que dijo Dante; que nunca sacia la ardiente sed o deseo o ansia infinita. Nos parece evidente que el ámbito vivo de esta voz de nuestro poeta se sitúa en la zona que decimos metafísico-moral de la poesía; aunque su acento cargue con predilección hacia el lado místico, misterioso, del centro nuclear, tocando extremadamente el corazón oscuro de la llama, pulsando en él, como San Juan de la Cruz, el latido vivo de su Dios; y aunque lo haga apartándose expresamente de aquella otra mágica musicalidad sensible, misteriosa superficialidad sonora, de la melódica de un Garcilaso. No encontraremos otro ejemplo mejor de polarización extremada, de opuestos extremos de lirismo, que el de estas dos poesías españolas, la de Garcilaso y la de Fray Luis, que, al principio y final de un siglo, nos señalan dos linajes poéticos tan perfectamente contrarios por admirablemente extremados.

Nosotros exprimimos
la penumbra de un sueño...

Antonio Machado

"Las palabras leves, todo lo que se dice con ligereza —pensaba Nietzsche—, rara vez cae en un oído con todo su verdadero peso; pero la culpa es del oído, que educado hoy en eso que se llama música, falto de disciplina sutil, ha olvidado la escuela de las armonías superiores".

¿Hay una metamúsica o megamúsica, una poética del *tercer oído*, ese oído educado, disciplinado en el aprendizaje de la *escuela de las armonías superiores?*

Con el nombre de escuela, dos tendencias, dos movimientos poéticos, significan, acaso por primera vez, la respuesta española renacentista a la incitación más profunda del petrarquismo: las de Salamanca y —al final del siglo xvi— Sevilla, con Fray Luis y con Herrera. Escuelas de "armonías superiores"; de una metamúsica, metafísica, tal vez metamoral (contrabandeo espiritual del misticismo amoroso) que nos enseñan una admirabilísima *poética del tercer oído*, explicada por Fray Luis y por Herrera, teórica como prácticamente, con su explícita composición y armonía.

Comparemos aquellas palabras, tan famosas y conocidas, de Fray Luis, en la dedicatoria al libro III de los NOMBRES, con estas otras, ni famosas, ni apenas conocidas, de Herrera en sus ANOTACIONES:

Dice Fray Luis: "...*pongo en las palabras concierto y las escojo y les doy su lugar... El bien hablar no es común, sino negocio de particular juicio, así en lo que se dice como en la manera como se dice. Y negocio, que de las palabras que todos hablan, elige las que convienen, y mira el sonido de ellas, y aun cuenta a veces las letras, y las pesa, y las mide, y las compone, para que no solamente digan con claridad lo que se pretende decir, sino también con armonía y dulzura"*.

Dice Herrera: *"Así como nace aquella agradable y hermosa belleza, que embebece y ceba los ojos dulcemente, de la elección de buenos colores que, colocados en lugares convenientes, hacen escogida proporción de miembros, así del considerado escogimiento de voces para imitar las diferencias sustanciales de las cosas, procede aquella suave hermosura que suspende y arrebata nuestros ánimos con maravillosa violencia, y no sólo es necesario el escogimiento, sino mucho más la composición"*.

Juicio, escogimiento (elección o selección), *medida, cuenta, concierto, lugar, proporción y composición,* en suma, son términos comunes a los dos maestros de estas dos admirables "escuelas de armonías superiores", que diría Nietzsche. Parece prestarle el castellano una atención preferente al oír y el sevillano al ver. Pero ambos coinciden en el *tercer oído* que *mira el sonido,* dice Fray Luis, y percibe la *claridad, armonía y dulzura;* y como la "agradable y hermosa belleza que embebece y ceba los ojos dulcemente", dice Herrera, la "suave hermosura que suspende y arrebata nuestros ánimos *con maravillosa violencia"*.

La comparación entre estos dos fragmentos, tan ilustrativos, nos enseña inmediatamente su coincidencia, que señalo; pero también, y con más singularidad, su diferencia. Y mejor que diferencia diría amplitud o enriquecimiento que a la actitud literaria de Fray Luis añade, con la suya, Herrera. Advertimos que a más del juicio como principio, según Fray Luis, del que nace la elección y composición de las voces o vocablos, midiendo, pesando, contando las palabras, hasta en sus letras, para concertarlas y colocarlas en su lugar, componiéndolas de tal suerte, para lograr su claridad, dulzura y armonía, añade Herrera, el que esta selección

41

o *escogimiento de voces,* se hace *para imitar las diferencias sustanciales de las cosas,* de cuya consideración procede, no ya solamente la claridad y la armonía y la dulzura, sino — a modo de la *hermosa belleza,* cuyo agrado *embebece y ceba los ojos* por la escogida *proporción de miembros* y la *colocación en lugares convenientes* de los *buenos colores* elegidos, en una pintura que contemplamos — *aquella suave hermosura que suspende y arrebata nuestros ánimos con maravillosa violencia.*

Parece indudable que esta alquimia o química verbal de que los dos poetas nos instruyen coincide en que sea un *negocio de muy particular juicio,* puesto que por *elección y composición* se logra el propósito de bien decir; y no sólo con claridad significativa de general entendimiento, sino con puro resultado estético y poético de armonía —superior armonía—, hermosura, belleza, dulzura, etc., tan *suave,* según el andaluz, que llega hasta el *arrebato y suspensión* del alma con su *maravillosa violencia.*

Para un lector habituado ya a considerar como un proceso evolutivo el de nuestra prosa y poesía española renacentista, siguiendo sus etapas correspondientes, entre Fray Luis y Herrera, contemporáneos, se nos señala, paralelamente por ellos, el paso del estilo clásico al barroco. En las etapas con que Menéndez Pidal indica este proceso de nuestro idioma durante el siglo XVI, ya marca en Fray Luis un primer paso que, sin salirse de aquella característica naturalidad de la primera época renacentista (Valdés, Garcilaso, Santa Teresa...), evidencia en Fray Luis otro propósito literario y artístico — o artificioso — que prepara el advenimiento de la primacía del arte sobre lo natural (o del arte poético sobrenatural) en Cervantes, Góngora, Lope. Herrera, omitido por el maestro Menéndez Pidal, se encuentra, justamente, en ese intervalo, llenándolo, diríamos, con la clarividencia poética de su crítica (*el mejor crítico literario del XVI,* le llamó Menéndez y Pelayo) y la crítica lucidez de su poesía. A los más recientes descubridores de aparentes formas literarias de barroquismo español, puede satisfacerles por completo, como definición, que es una confesión de arte, la que nos hace Herrera de una *suave hermo-*

sura que suspende y arrebata con su maravillosa violencia. No hubiesen necesitado más Weisbak o Völfin, para diagnosticar inmediatamente de barroco, al menos el propósito del gran poeta sevillano. Y hasta ofreciéndonos con sus mismas palabras definidoras el secreto de las formas de culminación española del barroquismo poético, literario, teatral, moral o religioso, de Gracián y de Calderón.

Pero ahora, tal vez sea más interesante para nosotros ahondar en estas admirables definiciones de Herrera y Fray Luis con otro propósito. En el que quepa, entro otras cosas, la determinación poética que tan expresamente los sitúa literariamente dentro del petrarquismo.

Cuando hablamos de petrarquismo, no es que nos interese insistir en cualquiera de sus modalidades históricas, para, una vez más, repetir el tema de las fuentes sobre la originalidad de este o aquel poeta renacentista que, llevado por el ímpetu evolutivo de esa corriente, puede situarse, de ese modo crítico, para su mejor conocimiento y explicación. Lo que nos importa es diseñar, sobre una perspectiva histórica razonable, la coincidencia y aun coexistencia de diversos poetas, a distancias seculares de tiempo, como a las más cortas de años o días mirando siempre a la poesía que verifican. Dicho de otro modo, lo que nos importa averiguar es la convergencia, en un momento dado, de los poetas más distantes en el espacio y en el tiempo, su contemporaneidad poética y literaria, o poético-temporal, o poético-histórica, pero con diferentes perspectivas cronológicas. Averiguar hasta qué punto, hasta qué grado, y también de qué modo, por qué manera, Herrera, Fray Luis, son petrarquistas; esto es, contemporáneos poética, literariamente, de Petrarca. Y por eso, porque lo son, fijamos nuestra atención tan expresamente en sus palabras: cuando éstas nos dicen lo que piensan de la poesía como cuando lo que experimentan y verifican por tal cosa literariamente.

Entonces advertimos que a estos dos admirables poetas españoles (que citamos de ejemplo para tratar de acercarnos al misterio de la poesía por una de sus zonas fronterizas que llamamos metafísico-moral), la poesía se les da, como a Petrarca (al que literariamente conocen y admiran), con una realidad o irrealidad propia, independiente, por decirlo así, del lenguaje vivo que la ejecuta o verifica — y hasta, a veces, ejecutándola por él mortalmente, matándola de veras. Pues así "como cuando miramos hacia atrás en el tiempo, por muy lejos que llevemos nuestra mirada" (nos dice el sabio naturalista Taillhard) que "considerada en su masa principal, la tierra se nos aparece *enmascarada de geometría*, esto es, cristalizada, pero no totalmente, no toda ella", así, cuando miramos hacia atrás en el tiempo a la poesía, por muy lejanamente que prolonguemos nuestra mirada, se nos aparece también en su masa o conjunto, mineralizada, cristalizada, *enmascarada de geometría.* La paciente meticulosidad de los eruditos y estilistas de la filología contemporánea nos descubre con minuciosa exactitud, a veces, el proceso de cristalización de las formas de la poesía; y no para desenmascararla de sus apariencias geométricas, sino para precisar éstas, detallándonos, por ejemplo, las variaciones de una modalidad métrica, el proceso de sus fijaciones y cambios en distintos poetas sucesivos... de modo que podemos discriminar con fácil cálculo las múltiples y variadísimas formas que tiene la poesía de dejar de serlo; sus infinitas posibilidades de cristalización y mineralización que la matan.

Si es verdad que, *considerada en su masa y mirando muy lejos hacia atrás en el tiempo,* la poesía, como la tierra, se nos aparece *enmascarada de geometría,* esclerotizada de estilos, mineralizada, con yuxtaposición de formas perfectas, porque, perfectamente muertas, también notamos que esta apariencia no es total, sino que hay otra parte en ella que persiste en no morir, en no cristalizarse, en no disfrazarse de geometría, sino, por el contrario, en sortear tal peligro, al que su propia razón de ser la lleva por el ritmo vivo que la impulsa. Es decir, que a este proceso de cristalización geométrica — que los eruditos y estilistas nos vienen describiendo con una paciencia entomológica de insectos — corresponde otro, que podríamos llamar, justamente, ya que usamos el término químico de cristalizar, de polimerización. Sin salirnos, pues, de esta analogía, percibimos que en el poeta, porque es hombre, subsisten siempre una especie de instintos encontrados, que le tientan, diríamos, hacia el hormiguero o hacia la colmena; pero que, en todo caso, le violentan con un anhelo de perfección viva aparentemente de insecto. La vida puede perfeccionarse paradójicamente en formas muertas; en restos fósiles; en vías de incomunicación mortal definitiva. Miremos, escrutemos muy atentamente —nos dice el sabio— esta misteriosa superficie: para alcanzar a percibir por ella esa *intimidad de lo externo,* como paradójicamente nos dijo Menéndez y Pelayo, a propósito de la poesía y crítica poética de nuestro Herrera. Por la superficie exterior poética —*corteza, sobrehaz,* dice Fray Luis— percibimos íntimamente el poder mágico y musical de las palabras. Fray Luis, Herrera, nos lo declaran admirablemente con su crítica de la poesía, como con su poesía misma. Y en ambos poetas se nos ofrece la poesía (como en Petrarca) químicamente impura; porque, con una realidad propia; realidad o irrealidad —superior armonía— por la que su proceso vivo —de polimerización y no de cristalización— se organiza en formas paradójicamente efímeras en su permanencia. La materia de esta poesía se elabora, efectivamente, como "negocio de particular juicio"; pero la elección y composición de las palabras —que predican y practican estos poetas— supone una materia dada, una realidad preexistente. Esa realidad ¿se encuentra o se inventa *ingeniosamente* como parece decirnos en su *Diálogo de la Lengua,* Valdés? ¿Pues esta lengua y lenguaje vivo de la poesía, lenguaje de sangre, de fuego, arde, se enciende e ilumina por la voz del poeta que lo prende con su palabra? ¿Por qué entonces preferir, como hace Valdés, el *juicio* —la elección, la composición— al *ingenio,* invención o hallazgo? Notemos que invención en su estricto sentido etimológico es hallazgo, es encuentro. Así en la tradicional interpretación etimológica (expresivamente desviada) del *trovar,* o inventar, hallar, encontrar la poesía en las fuentes vivísimas de la lírica trovadoresca;

45

esta poesía trovadoresca promueve con su hallazgo, con la invención y composición de sus formas, toda la materia literaria anterior a los materiales de imitación de la poesía clásica. Pero sea cual fuere la preferencia que muestre el poeta o el crítico hacia la invención o hallazgo o hacia la elección y composición del lenguaje, siempre participará su tarea de estas dos maneras de elaborar la poesía, como una *perfecta química,* que dijo Baudelaire, como una elaboración literaria. No fue el romanticismo en el siglo xix el que se manifestó contrario, en nombre de la santidad de la poesía, a la literatura, de donde la sacaban los poetas renacentistas prodigiosamente como de un cucurucho de cartón o "sacándoselos de la manga", el prestidigitador teatral los animales vivos: al contrario, fueron los poetas del Romanticismo quienes nuevamente inventaron el arte literario de la poesía, que ya habían inventado, antes, los poetas del Renacimiento. La oposición que es separación de la literatura y de la poesía ha sido un tópico relativamente reciente: de los primeros años de nuestro siglo. En el Renacimiento, en el Romanticismo, la alquimia literaria de la poesía progresaba en química; su elaboración se perfeccionaba con el conocimiento literario de los poetas clásicos. Petrarca nos lo enseña. Pero, al mismo tiempo, Petrarca nos enseña, como harán después nuestros Fray Luis y Herrera (también San Juan de la Cruz), a no sacarse las palabras de la boca, sino del corazón. Las letras humanas, como las divinas, han aleccionado a estos poetas del mismo modo. Pero han sido las letras, la literatura, la que ha engendrado en la poesía ese nuevo espíritu. El de una superior armonía que hace correlativas, como en el verso de Baudelaire, la "perfección química" con la "santidad del alma". Este verso: *como un perfecto químico y como un alma santa (comme un parfait chimiste et comme un âme sainte),* ha sido aplicado por Jorge Guillén a San Juan de la Cruz; igualmente podemos aplicarlo a Fray Luis y a Herrera, en el mismo sentido baudelairiano. Porque Baudelaire nos dice este verso para decirnos que ha cumplido su deber de poeta como tal: *como un perfecto químico y como un alma santa.* Pero no invoca el testimonio de los insectos,

46

del mundo perfectamente geométrico del insecto, geométrico-hormiguero o colmena, sino a los ángeles, que no son —porque son especie— una especie de insectos espirituales geometrizados en el aire, sino al contrario, pues, como dice Santo Tomás, el ángel va *de un lado a otro sin pasar por la mitad*: esto es, sin geometría.

Anges revêtus d'or, de pourpre et d'hyacinthe,
O vous, soyez témoins que j'ai fait mon devoir
Comme un parfait chimiste et comme un âme sainte.
Car j'ai de chaque chose extrait la quintessence.
Tu m'as donné ta bou et j'en ai fait de l'or.

De cada cosa del mundo he *extraído la quintaesencia*, nos dice Baudelaire. Y nuestro Herrera nos había inquietado al decirnos que había que escoger las palabras para *imitar las diferencias sustanciales de las cosas*. Esta alquimia, esta química elaboración poética elemental, imitativamente creadora, ¿convierte el barro, la tierra, en oro de poesía? "*Algo que es tierra en nuestra carne siente* —escribe Machado— *la humedad del jardín como un halago*". Como un halago, si lo siente, conmovedor, que mueve, que toca el alma: la "santidad del alma"; por la sangre que ha centrado, concentrado, su viva encarnadura espiritual en el corazón. Escuchemos a Fray Luis. Comentando el *Libro de Job*, al llegar al verso: "hablarán a ti y de tu corazón sacarán palabras", nos dice el poeta: "*Y dice bien que sacarán, no de la boca, sino del corazón, las palabras; porque las escrituras que por los siglos duran nunca las dicta la boca: del alma salen, adonde por muchos años las compone y examina la verdad y el cuidado*". Salen del alma: pero cuidadosamente verificadas, examinadas y compuestas antes, por mucho tiempo, por muchos años. Perfección química y santidad parecen juntarse, como en el verso baudelairiano, en la experiencia literaria de la poesía —de letras humanas y divinas, de las que fue maestro Fray Luis. De las escrituras seculares se alimenta la poesía —nos enseña— como de su más viva sangre. Porque de la sangre, del corazón humano, salieron esas escrituras mismas. Las escrituras "de este metal", de esta condición, nos dice el poeta.

La letra es sangre y semilla de espíritu, de poesía. Traslado y declaración de las letras fue para Fray Luis ejercicio vivo de verdadera recreación poética. Como para Petrarca. Pero el castellano traslada y declara separadamente. La "dura ley" de traducir "verbo por verbo" que decía Petrarca *(dura legge tradur verbo per verbo)*, palabra por palabra, la cumple Fray Luis con rigurosidad, fielmente. Para inmediatamente añadir, por separado, la declaración, declaración de poesía, que, por serlo, sigue siendo poéticamente tan verdadera como la literalidad del traslado. Así, esta perfecta química poética, elaboración de la poesía tan literal y literariamente presa en alambicados empeños de palabra verdadera y viva, se sitúa en aquella zona fronteriza de su misterio nuclear, en la que todavía podemos distinguir sus elementos, precisarlos, pero como un cerco palabrero con el que nunca alcanzamos a traspasar esa linde que se nos señala como la "santidad del alma", de su efluvio o místico hechizo; energía espiritual de radiación constante que por esta secreta estructura que fingimos se nos representa como una infinita virtud de su forma, abriéndose en círculos mágicos, rodeada —que diría Fray Luis— de una ondulación luminosa y sonora que acusa su estremecimiento, su tembloroso anhelo inefable.

IV

LA TRAMA DE LA HISTORIA
(TESORO DE DUENDE)

Haciendo el elogio del Rey y Caballero Don Alfonso de Aragón, por boca de la Reina Doña Leonor, su madre, que contesta a Juan de Boccaccio, en la *Comedieta de Ponza,* nos dice el Marqués de Santillana aquellos estupendos versos que tantas veces he citado:

> *Oyó los secretos de filosofía*
> *e los fuertes pasos de naturaleza:*
> *obtuvo el intento de la su pureza*
> *e profundamente vio la poesía.*

Los versos que preceden a éstos, tras la estrofa en que se han ensalzado las virtudes cristianas de Don Alfonso, y que empieza con el que dice: "las sílabas cuenta e guarda el acento", añaden aquello otro del sentimiento que tuvo de la Geometría: "pues en geometría, Euclides non ovo tan grand sentimiento..." y aun también fue en astrología, añade, un Athalante.

Oír los secretos de filosofía y los fuertes pasos de naturaleza, como nos dejó dicho Santillana de Don Alfonso, es ya mucho decir de un poeta; pero es decir muchísimo más, decirlo tal vez todo, aunque sin saber todo lo que se ha dicho: que "obtuvo el intento de la su pureza y *profundamente vio la poesía*". ¿De qué verdadero poeta no podrá decirse con estos estupendos versos de Santillana otro tanto? Sea de Dante o Petrarca, o Cervantes, o Shakespeare, de estos otros, nuestros Fray Luis, Herrera, San

Juan, Lope, Góngora, Quevedo, Garcilaso, Bécquer... o del propio Santillana, como de Juan Ruiz o Manrique, porque sólo de un verdadero poeta se puede, tal vez, sin decir mucho, decir tanto.

El poeta que oye *los secretos de filosofía, dicho se está*, que posee un *tercer oído*. El *tercer oído*, que dijo Nietzsche: el que percibe las *supremas armonías*. Y con este oído, sin olvidar los otros dos, también *dicho se está* que oye *los fuertes pasos de naturaleza*. Y aquellos secretos, que lo son de una amorosa sabiduría y no solamente de amor al saber, como se nos dice del caballeresco y trovadoresco don Alfonso, al compás de estos fuertes pasos, que también se oyen, de la naturaleza que preceden a la posibilidad misma de obtener, el hombre, su intento, filosófico y natural, de pureza poética, empezando por la suya propia, por la de su cuerpo y su alma. Y gracias a ella, poder mirar y poder ver, como Dante en su *visión admirable*, profundamente la poesía. Ver la poesía tan profundamente es verla y no verla, milagrosamente, y sin poderla dejar de oír:

> Ció chió vedeva me sembrava un riso
> dell'universo, per che mia ebrezza
> entrava per l'udire e per lo viso.
>
> (Pur., XXVII, 4).

Esta embriaguez vuelve a decirnos que la evidencia del poeta, inseparable de sus tres oídos, trasciende la mirada de su deseo, mirando, viendo, profundamente, es decir, sin ver y sin dejar de ver —viendo visiones— la profundidad abismática, luminosa y tenebrosa, a un tiempo mismo, de la creación divina, de la poesía. *Visión admirable*, maravillosa, misteriosa, del Universo, que a Dante le parecía como una sonrisa inefable. Y esta pureza de visión, obtenida por el intento literario de la poesía, es la que por esa mística, moral, metafísica, musical y mágica concordancia de sus letras, las "escrituras seculares", sagradas, eternizadoras de su empeño, se nos hace lectura y ligadura y literatura, en el mismo sentido, estrictamente etimológico y ambivalente, de su religiosidad, tal como nos lo dejó dicho de sí mismo Petrarca. Religiosidad de religarnos, releyendo, a la totalidad divina de una creación, que se nos unifica a la par que se nos dispersa por ese intento de pureza verbal y de santidad de alma; deber del poeta, de cuyo cumplimiento hacía testigos Baudelaire a los invisibles ángeles inauditos. Pureza de químico y de santo. Perfección de alquimia y santidad de alma. ¿No es éste *el intento de la su pureza* que nos dejó dicho Santillana como virtud esencial del poeta para poder ver profundamente la poesía, sin dejar de oír, o por estar oyendo, los secretos de una sabiduría de amor, acompasada por los fuertes pasos de su naturaleza, que también se oyen, como las superiores armonías celestes, con un tercer oído fronterizo de la visión misma?

V

LOS OJOS DEL ALMA

Porque la fe es por el oído y el oído por la palabra de Dios, el hombre puede ver al mismo tiempo que la oye esa música, esa armonía celeste, que nos dicen los poetas y los santos que es el amor, que es la contemplación divina. El *tercer oído* coincide con *los ojos del alma*: con esa segunda o tercera vista de la fe, que nos ciega los ojos del cuerpo, deslumbrándonos con su luminosa evidencia, para abrirnos los del espíritu. Del mismo modo que el *tercer oído* nos conduce por el silencio de la sensación a esas *armonías superiores*, a esas melodías inauditas que podemos decir que vemos, que miramos con *los ojos del alma*, estos ojos se abren a la melodiosa, armoniosa voz de una palabra creadora, que es de luz y de canto, tan inseparablemente entrelazados, que decimos percibirlos juntos, como Dante en el fondo de la mirada de Beatriz creía percibir la misma sonrisa del universo que le entraba, por los ojos y por los oídos a la vez, en su contemplación celeste de lo divino.

No hay poesía sin una perfecta química —nos dice Baudelaire—, pero, al mismo tiempo, sin una santidad de alma; y pone a los ángeles por testigos de tan fundamental aserto. El testimonio angélico rozaba su frente, como la del Dante en el Purgatorio, para borrar la huella de sombra que dejara en ella el ala murcilaginosa de la imbecilidad satánica. Para hacerle mirar y oír la voz de la muerte como una melodía:

> *Cur si l'hom es a mals aparellat*
> *la veu de mort li es melodiosa.*

Que también supo Baudelaire, más dantesco que petrarquista, escuchar la voz melodiosa de la muerte entre el aparejo humano de sus propios males, percibiéndola, a sordas y a ciegas de su corazón, en el amoroso perfume de sus *fleurs maladives*. Como el descarnado, esquelético petrarquismo de nuestro Ausias March, había logrado oírla más allá del suspiro, del llanto y del sollozo. Poesía en carne viva la de Petrarca. Poesía en hueso vivo la de Ausias March.

Todavía más: esa *melodiosa voz de la muerte* que se sutiliza en perfume por la química maravillosa de "un alma santa", en Baudelaire, parecería que se hace gusto, paladeo, tacto (mel e lact sub lingua tua: *leche y miel bajo tu lengua*) como el beso de amor del Cantar salomónico en el verso acariciador, vivamente estremecido de alma, de San Juan de la Cruz. ¡Fronteras misteriosas de la poesía, marcas fronterizas de la vida y del pensamiento, señaladas con una cruz cuando se desvanecen como humo en nuestros sentidos los suyos propios, borrándonos sus nombres perecederos, para dejarnos, únicamente inteligible a nuestra ansia humana de vivir la letra inicial, significativa, de la muerte!

Cuando la filosofía era contemplación de la muerte, la poesía era contemplación de Dios. Lo que puede afirmarse igual, en todo tiempo: cuando la filosofía es contemplación de la muerte, la poesía es contemplación de Dios. A su admirable Epístola poética para Arias Montano, la llama el divino Aldana: *de la contemplación de Dios*. Situada en la región fronteriza metafísico-moral, entre la magia musical de sus palabras y el místico sentido de su pensamiento, nos habla esta poesía divina de Aldana, como la de Fray Luis, según venimos recordando, del *"dulce son de Dios del alma oído"*.

También es del alma este oír, este escuchar, que es un oír sin oír como el ver sin ver de la fe, que con insistente confesión, que es justificación propia, tanto nos afirma Petrarca, en esa especie de testamento literario que nos dejó con su tratadito *De ignoran-*

tia, sobre su propia ignorancia y la de otros muchos. ¡Estupenda confesión general de todas sus culpas y virtudes de poeta! ¡Y con qué orgullosa humildad o humilde orgullo nos afirma su fe cristiana como única razón de ser de su vida y de su poesía! En este libro o epístola, tal vez más aún que en el *Secreto*, se nos revela este secreto misterioso del petrarquismo; la profunda, y no sólo íntima, virtud de su estremecedora permanencia de amor. La filosofía del petrarquismo es esa que se decía en el Renacimiento filosofía moral, y que aceptando su trazo — y su traza — nosotros denominamos ahora frontera, marca, metafísico-moral, de la poesía. ¿Cómo, este poeta que con sus propios ojos y oídos corporales, supo captar y transmitirnos mejor que ningún otro, las más bellas, sutiles, penetrantes imágenes expresivas, visuales y sonoras de su mundo, con tal intensidad y encanto que todavía — y siempre — encontraremos en sus versos la misma virtud viva que encontraron sus contemporáneos, y sucesores en el tiempo, durante siglos?; ¿cómo, este poeta, nos afirma que esta poesía suya nace de otra escondida fuente de música y de luz que no perciben ya nuestros sentidos?

El petrarquismo de Petrarca es éste de una voz melodiosa como la de la muerte; porque como la de la muerte se trasciende de música inaudita, de invisible luz, cuando desde esa zona filosófica (metafísico-moral) en que se la contempla, se traspasa, por nuestro pensamiento, de otra contemplación que la supera, que con *maravillosa violencia* la sobrepasa, trascendiéndola, trasmutándola de poesía: *contemplación de Dios*. Al encanto de lo sensible no ha renunciado nunca totalmente ningún poeta. Porque sin la magia musical de las palabras, como sin trascendencia mística, no puede haber poesía. Una idealización absoluta será siempre imposible en poesía. Tan imposible como un hedonismo exclusivo. Pero entre ambos extremos se nos centra o equilibra el verdadero poeta, diríamos que filosóficamente o religiosamente; por esa metafísico-moral actitud viva que hace de la contemplación divina, acción humana; de la comunión creadora, hechura de poesía. O, dicho de otro modo más petrarquista, de la naturaleza, arte.

"El petrarquismo fue un delirio, una epidemia en todas las literaturas vulgares", nos dice Menéndez y Pelayo. Delirio, epidemia, que duró, en su apogeo de mayor virulencia, más de dos siglos. ¿Epidemia poética, generadora de una fiebre amorosa y literaria delirante? ¿Pero el petrarquismo de los petrarquistas era el petrarquismo de Petrarca? Este desatado idealismo lírico-erótico, epidémico y delirante, cuyo febril contagio se extendía por Europa, de norte a sur, tomando forma, con los siglos, desde las llorosas nieblas turbias de la ciudad de Lyon en Francia (Maurice Sehae, Louise Labée) hasta las luminosas y encendidas de Castilla y Andalucía (Fray Luis, Herrera), este petrarquismo, contaminado de neoplatonismos reminiscentes —agravadores del ingenuo platonismo, agustiniano y ciceroniano del poeta de Valclusa—, con nuevas resonancias místicas de León Hebreo, Marsilio Ficino y Pico de la Mirándola, hasta Castiglione, hasta Bembo, ¿qué guardaba, efectivamente, del poeta admirable del que se reclama su fiebre, su delirio erótico y tan retóricamente subversivo?

Mucho más que el microbio, el virus filtrable de una enfermedad líricoamorosa, epidémica y febrilmente delirante, nos parece que lo que la poesía petrarquista de Petrarca trajo al mundo fue el descubrimiento o invención de otro: quiero decir, su hallazgo; la invención, descubrimiento, hallazgo, del mundo específicamente literario de la poesía. Y del mismo modo que el mundo nuevo que descubría Colón no tenía de nuevo sino sólo su descubrimiento, y de viejo, lo que tenía de mundo, pues lo que Colón descubría era la totalidad, nueva o vieja, de un mismo mundo, el descubrimiento de ese mundo específicamente literario de la poesía, que hizo Petrarca, descubría la totalidad (antigua y nueva) de la poesía misma. Al descubrir un mundo de antigua poesía, encontraba Petrarca esa estupenda novedad de la poesía; siempre nueva, porque siempre posible, porque siempre verificada y verificable por sus letras vivas.

Descubría el poeta una nueva escritura o literatura, con cuyo alfabeto espiritual se podría escribir la poesía en todas las literaturas vulgares, durante siglos. Puso las cosas poéticas en su punto, diríamos, interpretando el alfabetismo petrarquista de nuestro Boscán: *"acabó de poner en su punto* (la poesía) *y en éste se ha quedado, y quedará, creo yo, para siempre"*, escribía Boscán. Esta puntualización literaria de la poesía, el alfabeto petrarquista, servirá a los falsificadores literarios de sucesivos tiempos, para repetirlo, con sustituciones y combinaciones aparentemente petrarquistas, sin un ápice de poesía; y un enorme lastre de letra muerta caerá sobre el recuerdo de Petrarca, como queriéndole enterrar con su copiosa masa inerte de repeticiones y resonancias; un mosaico, una rapsódica aglomeración o conglomerado, una mezcla informe de imágenes y pensamientos, que se cae de su propio peso con los siglos, desbrozando el camino de la poesía para aquellos otros poetas que tomaron del petrarquismo la letra viva, hiriente, que les penetraba con su sangre. ¿El *alfa* y el *omega* de la poesía?

"Yo soy el *alfa* y el *omega*", dijo el Cristo. Esto es, yo soy un alfabeto. Y el mismo Evangelio: *"En el principio era el Verbo"*. A insondables honduras de sentido místico nos empujan estas palabras, sobre todo, relacionándolas entre sí. Trasladamos literariamente su sentido, parte de su sentido, a este sentir de la poesía que alfabetiza Petrarca, sin olvidar su confesado cristianismo, su convicta y confesa fe cristiana, raíz poética que le sustenta de vida y pensamiento. Un *alfa* inicial es su lirismo; un alfabeto espiritual, decíamos, su poesía. Que arranca, que empieza en el tiempo, y por el tiempo, con el amor, con el sentimiento imaginativo del amor. Este amor, en su inicial tradición trovadoresca, con sus réplicas italianas sucesivas (Sicilia, Bolonia, el franciscanismo, los estilnovistas y Dante), había popularizado, por decirlo así, su propia índole originaria exclusivamente aristocrática, caballeresca y cortesana, de Provenza. La había popularizado, lo mismo en su vertiente panteísta de la mística franciscana, que en la teológica y escolástica, del "estilnovismo" y de Dante.

Hasta ahí, un mundo medieval circunscribe este movimiento

poético, condicionándolo a formas jerárquicas, cuya propia definición lo hace, al parecer, incorruptible. Los *momentos históricos* que convierten *en instantes eternos,* estos poetas místicos y teólogos del sentimiento y pensamiento imaginativo del amor (amor *cortés,* amor *gentil),* se estructuran en un lírico empeño total de entusiasmo divino, de deificación humana. Como en el *Poema Sacro,* de Dante. La figuración Mariana por la que culmina este culto amoroso de la feminidad (Beatriz-María) acaba, al parecer, por donde acaso había comenzado; cerrando así el círculo de su totalizadora consecuencia: "con toda la alegría de su soledad circular", que dijo el filósofo griego. Y el amor que mueve al sol —al Solo—y a las solitarias estrellas, solidarias de ese divino empeño amoroso, se vuelve al corazón humano para interrogarse a sí mismo.

En alguna parte de su tratadito *De ignorantia,* nos dice Petrarca que en esta reflexión —no reflejo— que hace el hombre al volver sobre sí ("tal que en sí mismo, al fin, la eternidad lo vuelve"), nace la poesía. A esto mismo llamaba su contemporáneo secular, nuestro Infante Don Juan Manuel, *se sentir* (lo peor que le puede suceder al hombre —decía— es no *se sentir).* Se ha dicho que Petrarca es el primer *hombre moderno* (creo que quien lo dijo fue Renán) y el primer *poeta moderno,* por esa conciencia, por esta peculiar modalidad de su naturaleza reflexiva de buscar en su propio ser, de hacer, con su poesía, del amor, como había hecho San Agustín del hombre, *cuestión de sí mismo;* y al interrogarse íntimamente de ese modo, encuentra la poesía. Pero también Dante, pensamos, *era uno,* que cuando el amor le inspiraba en su corazón, le oía, la escuchaba, para anotar y expresar —que es exprimir (*significar,* dice)— en poesía lo que el amor *le dictaba dentro.* Divina dictadura poética del amor es ésta. Parece que a Petrarca el amor no le dictase interiormente, no le inspirase de *ese modo,* sino que, más bien por el contrario, le libertase de su propia dictadura espiritual secreta.

Humanismo, modernidad, son los dos términos en que se nos sitúa habitualmente el petrarquismo. Precisarlos, puntualizarlos, me parece cosa más fácil desde la íntima lectura —relectura— de Petrarca que fuera de ella. Esta lectura del poeta, en su poesía, en sus Epístolas y Tratados, nos hace pensar que hay un petrarquismo profundo, envuelto, enmascarado en sus resonancias históricas más superficiales, en las constantes, seculares evocaciones de su nombre. Y el sentido íntimo, profundo, secreto, del petrarquismo de Petrarca, más allá o más acá de sus mixtificaciones literarias, es el que nos parece advertir en poetas petrarquistas que, diríamos, por dentro, más que por fuera. En lo de fuera, en la cáscara dulce y no amarga, en la corteza, en la sobrehaz de su poesía, se ha dicho justamente que se queda, por una sola apariencia formal, la poesía italianizante de nuestro Garcilaso.

La gramática del petrarquismo, que formuló con el traslado de sus formas literales Boscán, no encauza, ni aprisiona, sin embargo, la mágica musicalidad del estilo de Garcilaso. Pero éste no se acerca en nada a la raíz, al fundamento humano, a la modernidad esencial de Petrarca. Garcilaso ha cambiado de estilo, de forma lírica, el espíritu medieval de la cortesía y cortesanía caballeresca, prolongándola bajo su armadura de soldado imperial de Carlos V. Garcilaso no es petrarquista, nos dice Menéndez y Pelayo; realmente no lo es, no llega a serlo; porque era demasiado *perfecto químico*, demasiado puro y maravilloso poeta mágico-musical palabrero, para falsificar la melodiosa voz de Petrarca con la suya propia. Porque velaba su poética *alma santa*, de tantos melodiosos velos y celajes encendidos en las palabras (de *flores* y de *lumbres*, que dirá Herrera, tan "armoniosamente compuestas"), que el equívoco de su poesía elude siempre la posibilidad de referirla a una conciencia viva, a un sentimiento, a un pensamiento conmovido y conmovedoramente humano. Lo que tiembla en él es la voz con acordado, insinuante, estremecimiento melodioso, armónico, que nos vela, que nos esconde siempre, si lo hubiera, *el dolorido sentir* y pensar, tembloroso, del corazón. Como en su cruel, despiadada ninfa, su poesía se hiela amorosamente de espantos ("Por las venas cuitadas/la sangre, su figura/iba desconociendo y su natura").

No llega Garcilaso, dos siglos después, a la modernidad del petrarquismo. Sí llegan, y la verifican nuevamente en su poesía, Herrera y Fray Luis: por una perfectísima química de palabras que, en vez de velar, trasparenta la "santidad del alma". Y si Fray Luis y Herrera, como Cervantes y Camoens y Lope, nos parecen petrarquistas de veras, petrarquistas por dentro (petrarquista la épico-lírica poesía amorosa de Camoens y la novelística erótica de Cervantes, y el teatro aventureramente amatorio, en lo mejor, de Lope), nos parece también que Góngora *se pasa* de petrarquismo — de humanismo, de modernidad renaciente —, como Quevedo; madurando en cierto sentido, la primavera florecida del Petrarca; quemándola en fuegos otoñales, como frutos dulces y amargos, semilleros, tal vez, de remotas, desconocidas floraciones, azarosas, fortuitas, insospechadas ramificaciones en el tiempo.

Si de Petrarca escribió De Sanctis que no era poeta sino artista, de Góngora, y su tan profundo, como superficial, petrarquismo, pudiéramos decir igual. Y aún más, o con más razón todavía. Pues la poesía "como obra de arte" — aunque, por su savia radical, petrarquista — no llegará a cumplirse totalmente sino en la obra poética del cordobés. De aquí las discrepancias críticas que todavía despierta. Evoquemos tan sólo alguna de las más famosas.

A fines del siglo xix, en sus *Observaciones sobre algunas particularidades de la poesía española,* escribía don Adolfo de Castro: "Siempre he profesado la opinión de que Góngora sin Herrera jamás llegara a ser el Góngora del POLIFEMO y las SOLEDADES. Por otra parte, nada hay más culto, nada más *gongorino* (si se permite la frase) que muchas de las poesías amorosas del divino Herrera". Toda esta afirmación de Castro nos parece exactísima. Como cuando añade: "Góngora quiso perfeccionar la re-

64

forma del lenguaje poético, comenzada por Garcilaso y continuada por Herrera... Tomó de Garcilaso lo que en él halló más en consonancia con su gusto, como tomó de Herrera lo que más se avenía a la fogosidad de su ingenio". ¿Su *maravillosa violencia?*, preguntaríamos. Y añade Castro: "Estimulado por la imitación que de su primitivo estilo hicieron los ingenios de la escuela de Granada en las *Flores de poetas ilustres*, se consideró llamado a regenerar el lenguaje poético, llevando a la exageración lo que sin exagerar obtuvo el aplauso de los doctos". ¿Qué exageración era ésta? "Góngora, en sus últimos años — sigue diciéndonos Castro — no hizo más que exagerar la afectación del estilo que ya descubrió en las poesías publicadas en 1605." Advirtamos, de paso, la fecha significativa (por quijotesca y beltenebrosa) y la afirmación que tan explícitamente se nos hace de la invención o descubrimiento gongorino de un estilo afectado, que el poeta no hace otra cosa, con el tiempo, que exagerar. Por esto, añade Castro: "En esto se asemeja el vate cordobés a las mujeres que se pintan, que empiezan por poco: pero como cada día se les va acostumbrando la vista al matiz que luce en sus mejillas, cada día también, sin advertirlo, dan más color, hasta que, pasado algún tiempo, lo que al principio fue belleza se convierte en fealdad ridícula y repugnante". Presente en la memoria tendría Castro al escribir esto los dos conocidos sonetos de Argensola y el "papel" anticultista y antigongorino de Lope. Tanto Argensola como Lope nos hablan de esa afectación (afeite o maquillaje de un rostro vivo), como Cervantes, condenándolos. Pero nos afirma Argensola que es tanta la belleza de esa mentira: "que en vano a competir con ella aspira/belleza igual de rostro verdadero"; y que es tal su engaño que lo sabemos igual o análogo al de la propia naturaleza: "porque ese cielo azul que todos vemos/ni es cielo, ni es azul..."; para cerrar su soneto exclamando: "¡lástima grande/que no sea verdad tanta belleza!" Con aparente contradicción denuncia en el otro soneto Argensola la malicia de ese artificio enmascarador, acusándolo de tiranía contra "ley natural"; como la de recortar las murtas, que "el diestro acero atusa" en los jardines cultivados, y que nunca podrán alegrarnos como la hermosura *confusa* del "bosque inculto, o bárbara arboleda". Y en los tercetos que finalizan su razonamiento concluye:

> *Si lo blanco y purpúreo que reparte*
> *Dios con sus rosas, puso en tus mejillas*
> *con no imitable natural mixtura:*
>
> *¿por qué con dedo ingrato las mancillas?*
> *¡Oh Lais!, no más que en perfección tan pura*
> *arte ha de ser el despreciar el arte.*

Siguiendo esta misma imagen metafórica del rostro femenino, cuya belleza natural estropea y destruye el "afeite", afectación o maquillaje, enmascarador, escribía Lope: "Pues hacer toda la composición figuras es tan vicioso e indigno como si una mujer que se afeita" (se pinta o maquilla decimos hoy), "habiéndose de poner la color en las mejillas, lugar tan propio, se las pusiese en la nariz, en la frente y en las orejas..." (lo que hoy no nos extrañaría tanto). Y concluye Lope: "Pues esto es una composición llena de estos tropos y figuras: un rostro coloreado a manera de los ángeles de la trompeta del Juicio o de los vientos de los mapas, sin dejar campos al blanco, al cándido, al cristalino, a las venas, a los realces, a lo que los pintores llaman *encarnación,* que es donde se mezcla blandeante lo que Garcilaso dijo tomándolo de Horacio: "En tanto que de rosa y azucena..." Vemos que aquí el reproche de Lope se dirige, más que a la máscara que nos engaña con su belleza superpuesta a la del rostro vivo, a la *exageración* gongorina de que nos habla Castro.

No olvidemos entonces que la hermosura natural, la que no se enmascara o afecta por una pintura o artificio que nos engañe, es, por serlo natural y viva, naturalmente, vivamente, efímera, pasajera, que rápidamente se consume y desvanece. "Es la hermosura María" (hermosura de la mujer), se nos dice en una comedia de Tirso:

Nieve que el sol desvanece,
sombra que desaparece,
efímera que vive un día;
vela que luce lo que arde
la frágil luz de una vida;
hierba con el sol florida
que se marchita a la tarde:
y es instante cuyo ser
está a las puertas del nada;

(soy yo quien subraya)

joya del tiempo prestada
por quien luego ha de volver.
Pues fabricar la esperanza
sobre el vano fundamento
de la nieve, sombra y viento,
despojos de la mudanza,
¿paréceos a vos cordura?...

"Despojos de la mudanza", llama el personaje de la comedia de Tirso a lo más natural de la belleza femenina: "vano fundamento de la esperanza" —como el azul del cielo, según el poeta aragonés. Para terminar por afirmarnos (¡terrible y agudísima afirmación!) que la belleza viva y natural dura un instante apenas y que su ser es tan efímero, tan fugitivo, que rápidamente deja de serlo, para desvanecerse —como nieve al sol, como sombra o viento—: pues su ser mismo —y no sólo su parecer o apariencia pasajera— *"está a las puertas del nada"*. ¿Deduciríamos entonces que lo natural como lo artificioso de la belleza abre sus puertas a la nada? ¿Y que el rostro vivo, a su vez, es una máscara vacía?

"La mejor máscara es el rostro", pensaba Nietzsche. Y Malraux nos dice que la máscara no trata de tapar y ocultar un rostro, sino de fijarlo en su expresión, dándole permanencia, estabilidad en el tiempo. Cuando un rostro vivo se pinta o maquilla, no enmascara su propia belleza natural, o trata de suplirla con ese artificio, sino que intenta fijarla, detenerla en su temporalidad pasajera: estabilizarla, extasiarla. Más que borrar las huellas del tiempo en su rostro, la mujer joven, al pintarlo, trata de evitarlas; consiguiendo tal vez lo contrario de su propósito: adelantarse al tiempo mismo, afectando o artificializando sus trazos con esa máscara del maquillaje que trata de borrarlas; al hacer de su rostro vivo una máscara permanente, fija, invariable, diríase que apresa en ella, o con ella, su belleza: pero paralizando su expresión. Poco a poco adquiere el rostro vivo de la mujer pintada, maquillada, una paralización expresiva, una expresamente inexpresiva belleza intemporal, impasible; una perfección aparente *que no dice nada*, inmovilizada en su forma de belleza extática. El riesgo del lenguaje poético — como lo planteaba Dante: como estabilización de la palabra fugitiva — es este de la máscara que se identifica con el rostro, imponiéndole, definitivamente, su hechizo. Y de ese modo el rostro vivo de la poesía tiende a fundirse, y confundirse, como en la mujer, con la máscara de su belleza, que se paraliza en una sola forma definitiva de su encanto. En el rostro poético del lenguaje se nos manifiesta esa misma experiencia paradójica que nos señalan los poetas en el rostro pintado femenino: la inexpresividad de una hermosura; porque al apresarla para detenerla, para no dejarla pasar, escapar, destruye su viva expresividad fugitiva, pasajera: la expresión temporal de esa belleza misma.

El reproche de intemporalidad — ausencia de intuición temporal — con que Antonio Machado anatematiza las formas líricas del arte literario barroco (singularmente en Góngora y Calderón) radica en esta interpretación de la máscara, inherente a todo fenómeno expresivo, en cualquier arte, cuando éste trata de serlo sólo, únicamente arte: esto es, cuando quiere permanecer en la forma única de su expresión perfecta de la belleza. Por eso a su fórmula definitoria versificada de la poesía como "palabra en el tiempo", añade Machado como formulación completa, al decirla en prosa, el sustancioso calificativo de "esencial": "poesía, palabra esencial en el tiempo". Y esta esencialidad para no cristalizarse en un concepto o concepción intemporal de lo poético — en una forma lógica que la determine negativamente —, tiene que dejarse llevar, por decirlo así, de esa escapatoria de sí misma en el tiempo: evasión melodiosa, huidera, como la del agua que corre deshelada de los ventisqueros nevosos del invierno; tiene que disolver en su corriente misma, cantarina, la conceptuación enmascaradora que la aprisionaba en aparente cristal mudo de intemporalidad o permanencia. Y esa estabilización o paralización de la palabra —de las palabras— por un lenguaje poético que es esencialmente indefinible no puede aprisionarse en ese empeño de su conceptuación cristalina de lo temporal si no es para desconceptualizarse, o deshelarse, por ello. ("Cristal: agua al fin, dulcemente dura".) Un proceso poético de la forma como devenir permanente (duración bergsoniana en Antonio Machado) aplicado, con estricta exactitud, no a un arte poético, sino a una poesía "obra de arte", nos sitúa ante parecida perplejidad que la provocada por la imagen (Argensola, Lope, Nietzsche, Malraux...) de la máscara y el rostro, del arte y la naturaleza.

Lo que Antonio Machado reprocha al gongorino Calderón y al propio Góngora nos parece tal vez ajeno y aun contrario a su significación espiritual más clara (su "espíritu sin nombre", su "indefinible esencia"); su huir y rehuir constante de la realización artística de la palabra —de las palabras— en o por una esencialidad exclusiva de la belleza, estabilizada o paralizada en imágenes conceptualizadas, y, de ese modo, cristalinas. Por el contrario, nos parece esta forma del realismo lírico gongorino, por el prodigioso poder expresivo mágico-musical del cordobés, la más lograda empresa anticonceptual de la poesía por la metáfora creadora ("metáforas de metáforas", les decía Lope). ¿Y esto enmascara o desenmascara el rostro vivo de la poesía por su dicción misma?

La dicción poética en la definición dantesca del lenguaje de la poesía se definía a sí misma expresamente como un "decir de amor". Advertimos que esta definición de Dante: "poesía: decir de amor", pudo invertir su relación al cambiar sus términos diciendo: "amor, decir de poesía"; y aún ir más allá para llegar hasta afirmarnos a la poesía como *amor al decir*: como en el gongorino:

"quiere amor en su fatiga/que se sienta y no se diga;/pero a mí más me contenga/que se diga y no se sienta"; lo que tanto indignaba a Unamuno. Tanto como "el mentido robador de Europa" de la primera SOLEDAD. *Mentido*, ¿por qué?, exclamaba don Miguel. Para decirnos que a él de Góngora no le llegaba más que *su destello*. Justa apreciación que no hubiera tenido más que afirmarse a sí misma en su hechizo mágico para comprender al poeta. Pues a Góngora puede aplicarse otro decir unamunesco, que admirablemente nos orienta para comprenderle, y es el que, al referirse a la palabra viva, creadora, nos dice: *"y es que ella, la palabra,/sola, labra/con el son de la visión"*. ¿Pues no nos parece que ya está *comprendido* todo Góngora en esta tan destelleante definición? Y si no todo, sí aquél que al situarse en la zona crítica que decimos mágico-musical nos abre paso luminoso y sonoro a su pensamiento poético.

Nos parece que acaso ningún otro poeta español ha *labrado* con la palabra —con las palabras— con un *son* más puro, una *visión* más clara de la poesía. Por esto podríamos decir que su poesía se nos aparece o manifiesta como un fantasma —sonoro y amoroso fantasma— que está entre el sonido y la luz; entre la música y la pintura. ¿Qué poeta alcanza en lengua española más profunda luminosidad destelleante a la par que música más honda y armoniosa? El barroco intento gongorino —mejor diría su estupendo logro— fue el de equilibrar estos extremos de lo *sensado* (que dirían los místicos), de la sensacional apariencia auditiva y visual, entrelazadas con gracia infinita en su verso, en su "voz de oro" ("fina voz de oro", que le dijo gongorinamente Rubén Darío). Y de ahí, el maravilloso contraste, por tanta luminosidad y musicalidad, de la oscuridad con la belleza —verdaderamente beltenebrosa— de sus formas poéticas:

> *Las formas perfilan de oro*
> *milagrosamente haciendo,*
> no las bellezas oscuras
> sino los oscuros bellos.

"Tinieblas es la luz donde hay luz sola", nos dirá en estupendo verso Unamuno. Pero no donde la contrasta otra tenebrosa y clara oscuridad. El doble ángel andaluz gongorino (de tinieblas y luminosidades juntas) ¿rozó con el pico de sus alas, agudamente, el abismo, infinitamente vacío, anonadante, de la belleza como un arte enmascarador de la verdad y de la vida? ¿Serán las puertas de la nada — como dijo el verso de Tirso — lo que nos abre ese fantasma — ese *ídolo bello* —de la poesía gongorina, y precisamente por hacerse, *como por milagro*, "obra de arte"? ¿Pues, arte *no ha de ser* para la poesía — como quería el aragonés Argensola — "el despreciar el arte"?

"Terrible claridad — exclama en uno de sus últimos versos Unamuno— *es la nada de la verdad."* ¿De qué verdad? ¿La del arte, la de la naturaleza, la de la vida? ¿La de la máscara vacía? ¿La del rostro, que es una máscara, y acaso una máscara del alma, una máscara trasparente? ¿O es terrible verdad la claridad de la poesía por el arte, porque desenmascara la fugitividad de la belleza, porque en un solo instante nos revela la inconsistencia de su ser que, por serlo, nos abre las puertas de la nada? La más tremenda acusación de Menéndez y Pelayo a Góngora — que resume todas las otras — es la de *nihilismo poético.* "Tanto absurdo, tanta insignificancia, la hinchazón más que el latinismo, las inversiones y giros pedantescos, las alusiones recónditas, los pecados contra la propiedad y limpieza del lenguaje", nada omite Menéndez y Pelayo en esta enumeración crítica acusatoria, esta acumulación de defectos y excesos gongorinos, para concluirla, resumiéndolos en: "lo *vacío*, lo *desierto* de toda inspiración. el *aflictivo nihilismo poético* que se encubre bajo esas apariencias: *los carbones del tesoro guardado por tantas llaves".* ¿Tesoro de duende? ¿Pues no veía, no oía, Menéndez y Pelayo, lo que es esa poesía que con la autopsia anatómica de un análisis lógico nos descuartiza tan cruelmente, para no encontrar, entre ese destrozo alucinante del cuerpo muerto, el alma, la verdad, la vida que de ella se le escapa? ¿No

veía, ni oía, su verdad viva, el mágico encanto de su arte? Aunque este mismo arte de poesía —máscara de un rostro natural— trasparente, por su belleza misma, ese *vacío*, ese *desierto*, esa *nada* del ser, cuya instantaneidad pasajera nos abre sus puertas a un abismo: esa *"terrible claridad/de la nada de su verdad"*. El hambre y la sed, mortal, humana, de la aparente y enigmática esfinge. ¿Pues *arte ha de ser*, en definitiva, *el despreciar el arte?*

"Mudanza, ya que no mujer, se nombre —nos dirá Lope—:/ pues cuanto más seguro quien la tiene,/tiene polvo, humo, nada, viento y sombra". Y el propio Góngora, maravillosamente: "goza, goza el color, la luz, el oro...", antes de que "no sólo en plata o viola/se vuelva, más tú y ello, juntamente,/en tierra, en humo, en polvo, en sombra, en nada". Y en cuanto a "la condición del humo", de que nos habló Quevedo, y de su "polvo enamorado", ¿qué diríamos? Sin eludir el estupendo verso melancólico de Cervantes: "en todo hay cierta, inevitable muerte". ¿En todo? —Góngora, para defenderse, achacaba justamente a sus lectores de mala voluntad las confusiones que creían encontrar en sus SOLEDADES ("yo no envío confusas las "Soledades", sino las malicias de las voluntades en su mismo lenguaje hallan confusión, por parte del sujeto inficionado con ellas"). Pero también nos dice que no se confundirían de tal modo sus lectores y críticos si tuvieran "capacidad para *quitar la corteza y descubrir lo misterioso que encubre"*. ¿Quitar la máscara del rostro? ¿Y por qué no trasparentarla, como hace su misma poesía, cuando críticamente la situamos, para sentirla y entenderla mejor, en esas zonas fronterizas de su misterio vivo, que decimos metafísico-moral, mágico-musical, al describir la naturaleza y figuración misteriosísima de su estructura o forma propia?

¿Es culpa de Góngora o del mismo arte excelso de la poesía que realizaba cuando, por su propia belleza instantáneamente extática, se nos abren las puertas de la nada, del vacío abismal, del desierto desolador o soledad de soledades infinita, que pudiéranos llamar fronteras infernales del pensamiento? SOLEDADES titula Góngora su incompleto poema maravilloso, en cuyo ámbito nos parece respirar la misma atmósfera de sublime melancolía que nos ilumina de mágico entendimiento sobrenatural, traspasando su realidad viva, en el PERSILES de Cervantes, en la DOROTEA de Lope. Estos tres poetas contemporáneos aguzaron tanto su ingenio (que es hallazgo, invención, descubrimiento) en el arte de la poesía — en lo épico o novelesco, Cervantes; en lo dramático o teatral, Lope; como en lo lírico o poemático, Góngora —, que nos dieron con ello la clave de una expresión o forma de la belleza, tan huidera para el alma, como el humo que se le escapaba de entre las manos a la fabulosa Psiquis milesia al querer averiguar el secreto de la belleza, como el del amor, invisiblemente "guardado por tantas llaves". ¿Y no es ese mismo secreto *beltenebroso* el que nos espanta y maravilla a la par cuando contemplamos los lienzos *gongorinos* del pintor Velázquez? En estos poetas, su *agudeza y arte de ingenio* (como titulaba Gracián su minucioso intento de analizar imposiblemente este barroquismo español, que él, con Quevedo y Calderón, asumían, en su decadencia; libro que Menéndez y Pelayo no se cansaba de ponderar justísimamente) merece ser examinada con más cuidado de lo que hasta aquí ha solido hacerse. Empezando por precisar qué entendió Gracián, y entendemos nosotros al leerle, por *agudeza*, por *ingenio* y por *arte*. Bástenos ahora de ejemplo con lo de *agudeza* — el más temible de estos términos —, cuyo sentido y significado podemos encontrar muy claramente definido por Covarrubias en su *"Tesoro de la lengua española"* — que es riquísimo tesoro poético de duendístico y musareñero pensamiento, también beltenebroso.

"Agudo — nos dice Covarrubias — del latín *acutus*, dícese principalmente del hierro con que cortamos o punzamos y de cualquier cosa que corte en esta manera. *Trasfiérese al alma, y decimos agudo al que tiene ingenio sutil y penetrante.* También llamamos agudo al inquieto que anda de aquí para allí bullendo.

73

Aguda vista la que alcanza a ver muy de lejos, como la del águila. Dar de agudo, *lastimar con palabras que penetran hasta el corazón como el que hiere de punta.*" ¿Comprenderemos ahora a qué *agudeza* refería Gracián su arte de ingenio sutil y penetrante? Pues del "aguzar" —leemos en el Tesoro—, "que vale adelgazar la punta o el filo del cuchillo u otro instrumento para punzar o cortar". Instrumento punzante, penetrante, del que pasamos fácilmente, y rápidamente en Covarrubias, a ese otro "instrumento sutil y delgado de acero con que se cosen las ropas", la aguja. Y de ésta, al agujero: "de aguja se dijo agujero: el *güeco* (sic) que se hace con ella y cualquier otro *claro* que se haga en la pared, en madera, en piedra, en paño, etc..., *como claree y dé lugar a la luz y a la vista*". Agujero o hueco o vacío que se hace en cualquier materia para dar lugar a la luz, paso a la claridad, y por ella, a la vista, nos parece algo que tiene muy posible relación con aquella apertura a que se refiere el filósofo Heidegger cuando nos señala esa misión punzante, penetrante, al arte por la poesía, a la "obra de arte". Como si aquel instante, extasiado en belleza por la imagen —poética o pictórica o musical—, cuyo *ser* se afirma "a las puertas del nada", fuese, al contrario de lo que decía el personaje de Tirso, para no dejar de ser, y siéndolo, para que ese hueco, ese agujero abierto a la apariencia de la *nada* se abriese precisamente al *ser*: a la luz, a la claridad: "*como claree y dé lugar a la luz y a la vista*". Labra —como una aguja, aguda, punzante, penetrante— la palabra poética gongorina "*por el son, la visión*": como para ponernos en evidencia clara, luminosa, todas las cosas. En esto radica su realismo poético: en evidenciarnos la realidad del mundo —de su mundo— de esa manera. La poesía para Góngora, como para Velázquez la pintura (y para Cervantes la novela y el teatro para Lope), es un arte sutil, agudo, ingeniosísimo —por creador, por inventivo— de *ponernos en evidencia* las cosas: en su evidencia viva, en su luminosa claridad, que es su belleza misma al abrírsenos a la mirada, aguda, penetrante, como la del águila, por esa *nada* aparente del *ser* que la cerca o rodea tenebrosamente. "Tú sólo el alma de mis versos mira", pudo decir Góngora, como Lope, a sus críticos materialistas más cegados y ensordecidos por la *maravillosa violencia*, sensacionalmente prodigiosa, de su voz, de su "palabra esencial en el tiempo":

Los siglos que en sus hojas cuenta un roble,
árbol los cuenta sordo, tronco mudo;
quien más ve, quien más oye, menos dura.

Laberinto de la novela
y
monstruo de la novelería
Cervantes y Dostoyewsky

Al recuerdo de
Miguel de Unamuno

A CIERRA OJOS

Voy andando en la oscuridad. Me lleva el empuje suave de otro cuerpo que siento junto al mío, detrás del mío, a mis espaldas; apretado contra mi cuerpo para adentrarlo en la oscuridad en que le guía, mientras dos manos me oprimen blandamente el rostro, sobre los ojos, para impedirme abrirlos. El cuero que se apoya sobre el mío, al andar, me conduce entre las tinieblas, enroscando laberintos de sombra con sus pasos, que dirigen los míos; me conduce y enreda o enmaraña, a la vez, laberínticamente, en lo oscuro: me entraña en su misterio. La mano que me ciega, me guía. Las manos que vendan tibiamente mis ojos. Unas manos de niña. Me llevan lentamente, levemente, con cauto andar, por entre tinieblas conocidas, familiares, caseras. A veces, un olor, un ruido, un fugaz destello luminoso, entreverado o entrevisto por la rosada sombra, bastan para hacérmelas reconocer, desnudándome su secreto. Aquí sospecho una habitación. Allí otra. Esta es una alcoba que adivino por el ámbito claro de su silencio. Aquélla es otra que reconozco por su tibieza o su perfume. De pronto, es el roce inesperado de un cortinón, delator de un pasillo. Cuando no, es una sensación más vaga de humedad, de calor o de frío... Es difícil perderse. Seguimos la marcha, sin embargo, tejiendo cada vez con más empeño el laberinto de perdición querida. Una vuelta atrás repentina, un brusco detenerse, puede romper el hilo, orientador aún por el recuerdo, de lo conocido. ¡Qué honda, voluptuosa sensación entonces! —Surge espontáneo el: ¿dónde estoy? ¿Será posible que empiece a dudarlo de veras? ¿Que empiece, de veras, a perderme? —Seguimos avanzando y retrocediendo, enredando el ovillo, intrincándonos más y más en el laberinto del juego. Queriendo que la perdición entrañable pueda sucederse de veras.

Así quieren perderse los dos niños que, juntos, andan en este juego toda la casa: deseoso, el uno, de que la oscuridad le trague por completo, como un sueño; y, el otro, deseoso de poder despertarle de repente con su "¿dónde estás?" definitivo, quitándole las manos de los ojos para que, abiertos a la sorpresa, resulten momentáneamente engañados. Y a medida que esto sucede, a medida que pueden sentirse perdidos como en un bosque inmenso en la maraña turbulenta y tenebrosa con que fingidamente, caprichosamente, envuelven alcobas y pasillos: a medida que este pueril y tan profundamente humano afán de perdición les tienta, algo misterioso y secreto late en el corazón de su niñez que presiente ya toda su vida. Por eso, así estrechados oscuramente en tan claro juego, han podido sentirse unidos por el juego mismo como por el amor o por la muerte: y se ha precipitado el latir de sus corazones golpeándoles el pecho. El niño lo ha sentido a sus espaldas, guardadas como por el apoyo firme y tierno de un seno materno; la niña lo siente entre sus manos, en los ojos que ciega, como el tacto filial, brutal y dulce, de un cuerpo de pájaro asustado.

Engaño y desengaño a los ojos. Engaño y desengaño al corazón.

HOMBRE PERDIDO

Jugamos a perdernos, de niños. Jugamos a perdernos toda la vida. El hombre lleva en lo más intrincado de su ser ese puro afán de perdición eterna. El hombre juega porque jugando pierde; o puede perder algo y perderse algo a sí mismo con el juego. El hombre juega porque pierde; si no, no jugaría. Cuando quiere ganar es para poder perder más aún: para perder más y más, siempre. El hombre busca su perdición en el juego como en todo. Y no siempre la encuentra.

Es difícil perderse. Aquel mismo niño que jugaba a perderse en lo oscuro de su realidad más entrañable, pero más conocida, la de su propia casa; aquel mismo niño, pasado el tiempo, le vemos, ahora, sentado ante una mesa — o más cómodamente en un sillón o tumbado en la cama —, y a la luz del día o de la lámpara encendida de la noche, pero a una luz muy clara, le vemos ahora leyendo un libro, una novela. ¿Qué busca en su lectura? ¿Busca su perdición aquella de cuando niño; busca su perdición de hombre? Quiere olvidarse, perderse por completo en la novela, enterándose de ella o entrándose por ella, como por el amor, como por un soñado laberinto: para perderse en él, para no encontrar nunca la salida. La novela que así le asume por entero (por entero y por verdadero) no quisiera él que terminase nunca. Quisiera que fuera como un cuento de nunca acabar. — El cuento de nunca acabar es el secreto corazón de toda la novelería. Es el nunca acabar del todo de perderse. Un verdadero laberinto. El cuento de nunca acabar es un laberinto. La finalidad del laberinto no es la de encontrar su salida, sino, al revés, su entrada. Salir es renunciar al laberinto. No es perder ni ganar el juego, es no jugar. Es que el juego *no valga*. Es el juguete roto. Al encontrar la salida del laberinto ya no se pierde uno: se pierde el laberinto. Del mismo modo la finalidad de la novela sería no tenerla. Su fin no tener fin. Como la finalidad de la vida no es morir, es nacer, o es haber nacido. El cuento de nunca acabar se nos hace, por eso, el cuento de nunca morir, de vivir siempre.

Vivir, pensamos, es querer perderse uno en todo y por todo. Cuando se lee una novela se quiere vivir más todavía: o sea que se quiere uno perder más todavía: más y, acaso, mejor.

Y es difícil perder; es difícil perderse. Pero es más difícil encontrarse sin haberse perdido.

El hombre se encuentra naturalmente en aquello mismo en que se pierde y por aquello mismo que le pierde. Hay quien se pierde en unas cosas o por unas cosas y quien por otras. Hay quien se pierde por leer novelas. Dejadle que se pierda. Dejadle que las lea. Porque solamente se encontrará leyéndolas. Don Quijote se pierde por las *caballerías* y por las *caballerías* se encuentra. Y ésa fue su aventura: su ventura; el haberse perdido por encontrarlas y el haberse encontrado por perderlas.

Cuando nos llega el *¿dónde estás?* del juego infantil de perderse, abrimos los ojos sorprendidos. Sorprendidos de todo lo que nos rodea, sorpresa que es la misma en el error que en el acierto. Pues todo lo que nos rodea, aunque nos fuese conocido, ha cambiado para nosotros de repente, al reconocerlo. Ha cambiado de razón, de sentido. Se nos ha hecho de nuevas. Y es que hemos desentrañado de nuestro laberíntico mundo de la sombra, hemos dado a la luz, todas las cosas, nuevamente. Haciéndolas de nuevo al hacernos de nuevo. Haciéndonos de nuevas, verdaderamente, por ellas. Pues cada noche por el sueño, por el laberinto del sueño, ¿no nos sucede también lo mismo? *Yo nazco todas las mañanas* — dijo el poeta —. Cada día somos recién nacidos de la sombra: dados a luz de nuevo. *Hay que hacerse de nuevas* cada día. El hombre es su novedad permanente. La vida, la existencia del hombre, ¿no es su más verdadera novelería?

Pues esto sí que es asombroso: lo más asombroso, lo maravilloso de veras, lo sorprendente: que la sabiduría, el conocimiento del hombre, empiece, como decían los griegos, en la sorpresa, por el asombro, por el poder hacerse el hombre, verdaderamente, de nuevas. Empieza, y tal vez acaba, por el asombro, por la maravilla, todo el verdadero conocimiento del hombre. El conocimiento poético y el novelesco. Del hombre: *la flor de la maravilla*. Del hombre, *lo que va de ayer a hoy*. Apenas sombra de sí mismo.

> *...A la maravilla dio*
> *ese nombre el descubrilla*

— dice Calderón.

A la novela, también dio ese nombre el descubrirla, el inventarla. La novela también es *lo que va de ayer a hoy*: un sueño entrañado en el laberinto de la sombra; por eso no es, tampoco, ni siquiera sombra de sí misma: por eso es, también, *la flor de la maravilla*.

Por eso no importa demasiado, no debe importarnos demasiado, la evolución histórica de la novela; como no nos importa tampoco mucho la evolución histórica del hombre. Ni el saber lo que es eso. En cambio, importa mucho, nos debe importar mucho, la maravilla humana de la novela, la sorpresa viva, novelesca, del hombre. Porque lo que importa del mundo humano no son sus evoluciones aparentes, sus mentiras históricas; sean las que sean, pasajeras, engañosas. Lo que nos importa del hombre son sus evoluciones reales, sus revelaciones poéticas — sean las que sean, verdaderas, permanentes —. Lo que importa del hombre es su revelación eterna, que es su revolución constante. El hombre siempre nuevo.

LA CUESTION PALPITANTE

Cuentan —y será cuento— que interrogado nuestro novelista y novelero Valle-Inclán sobre su parecer acerca de una ciudad mediterránea —creo que Barcelona—, contestó don Ramón con estupefacción de sus oyentes: que era una ciudad llamada a desaparecer.

Esta respuesta apocalíptica, quiero decir reveladora de quien la da, es tan reveladora, en efecto, como puede serlo aquella famosa afirmación de un tiempo, tiempo de superstición positivista, en que se decía que *la forma poética estaba llamada a desaparecer.* Yo no sé si esto se ha llegado a decir de la novela, ni siquiera sé si se ha pensado. Pero algo de esto les andaba rondando a muchos que pensaban que la novela era una especie de superstición literaria y antipoética. Y también a muchos de los que nos hablan de *la crisis de la novela.* Menos, quizás, a los que formulan su interrogante hablándonos del *problema de la novela.*

¿El problema de la novela? Más bien que problema, cuestión. No es lo mismo cuestión que problema. Cuestión y *cuestion palpitante.*

Pero cuestión o problema, lo es permanente. Mientras haya novelas en el mundo. Mientras haya mundos de novela. Y los hay en tanta cantidad que aunque dejaran de producirse o reproducirse más (cosa difícil, pues el de la novela es el género más prolífico que conozco: ¡como que no es género, es especie!), aunque no se escribiesen ya más novelas en el mundo, ni aun más de las que se han escrito, de las que hay, todavía tendríamos novelas y novelería para rato. ¡Si apenas si tenemos tiempo de leer un poco despacio, en toda nuestra vida, a media docena de grandes novelistas!

Es de esperar que el fin del mundo le coja al hombre todavía leyendo y escribiendo novelas. Y aludo al fin del mundo porque, en cierto modo, el fin del mundo se nos reveló revolucionariamente y no evolutivamente, por Cristo, según San Juan, en poesía y no en historia; en una *apocalipsis* o revelación revolucionaria que tiene mucho de novela, de novelería; por lo mismo que no tiene nada de historia: es decir, por lo mismo que no tiene nada de mentira y sí mucho, *todo*, de verdad; de verdad totalizadora, de verdad como un templo: de verdad poética o de verdadera poesía. El Apocalipsis de San Juan es *una verdad como un templo*: por eso no hay manera de entenderlo: ninguna manera racional, sí, intuitiva, poética. El Apocalipsis es, por lo mismo, el más puro e impuro, el más extraordinario y sublime libro verdaderamente poético que se puede leer en este mundo, en este, nuestro mundo, llamado a desaparecer. Pues en este libro de San Juan, se llama a desaparecer al mundo: y de eso precisamente es de lo que trata, de lo que se trata, de la llamada a desaparecer del mundo. De un mundo que se llama, se nombra por ser así llamado según San Pablo: mundo, apariencia verdadera. Pues por ser el mundo aparente, por ser verdadera apariencia, es por lo que puede desaparecer. Lo que ni siquiera ha aparecido, mal puede desaparecer. La novela, el mundo de la novela, también puede desaparecer, puede ser llamado a desaparecer. Y la novela puede ser llamada, puede estar llamada a desaparecer no por ser novela, sino por ser mundo; por ser un verdadero mundo; una verdadera apariencia. Por esto, la novela se nos ofrece, se nos manifiesta siempre, revolucionariamente, de este modo: como revelación o aparición. Como se manifiesta el mundo, al final —según el apóstol—, para ser juzgado. Cada novela es la manifestación de un mundo, llamado a desaparecer, y que antes de desaparecer

87

quiere aparecer, comparecer: y aparece, comparece en efecto, solicitando, esperando, ser juzgado. En cada novela, en cada mundo de novela —apariencia, mundo del hombre— hay implícito un juicio final: el juicio final de un mundo humano; el juicio final del hombre mismo. Por eso, cada novela es una cuestión o un problema diferente; cada novela, que lo es, es un mundo aparte puesto en cuestión; es, en sí misma, y por sí misma, su propia cuestión, su propio problema.

Por eso decía que la novela es más bien cuestión que problema. Porque no siempre solicita ni espera solución. Desde luego, no ajena a sí misma. Sí, en cambio, espera, solicita, una respuesta de nuestra parte; aunque esta respuesta nuestra, este nuestro juicio, no tenga por qué serlo de un modo abstractamente racional o racionalmente definitivo, como parece que implica siempre la resolución de un problema. Esta respuesta puede serlo de modo que no exija racionalmente el asentimiento o la repulsa: como en el amor, como en la poesía; que no los exprese, de un modo definitivamente abstracto, ni racional.

El problema de la novela se nos hace, entonces, el problema de los problemas de las novelas; la cuestión de las cuestiones novelescas; el problema o cuestión, vivísima, de la novelería.

LA RAZON DE SOÑAR

Un periodista español del xix, que prologó, a su decir filosóficamente, la famosa Tauromaquia de Montes (Paquiro), decía en aquel estupendo prólogo, entre otras no menos estupendas cosas, ésta: *que un hombre con la muleta en la mano delante de un toro, no es un problema: es una atrocidad.*

Yo estoy por decir que un hombre que escribe una novela o que la lee — que tan novelista es el que la escribe como el que la lee, tan novelero —, no es un problema, ni la novela que lee tampoco: es una atrocidad. Porque del mismo modo que el hombre, por juego, se pone ante la muerte para burlarla, y es atrozmente crítica su situación en ese trance; también es atrozmente crítica la situación del hombre que, por el reflejo imaginativo de su propia novelería, se encuentra situado ante sí mismo entre esos dos abismos mortales de su propio ser o conocimiento de su ser, en que la apariencia del mundo le manifiesta. Por la revelación cristiana de San Juan — por el Apocalipsis — nos aparece el hombre — el conocimiento del hombre — situado entre dos abismos: el hombre se conoce a sí mismo de este modo, suspendido entre dos abismos inmortales: uno de luz, otro de sombra; el abismo del conocimiento divino y la sima del conocimiento satánico. — Al morir el protagonista de la famosa novela de Fogazzaro, *El Santo*, nos dice el novelista que *salió del torbellino del mundo para entrar en el torbellino de Dios.* — A estos dos abismos vertiginosamente tiende la voluntad de perdición del hombre: a perderse en *el tor-*

bellino del mundo, que es la sima oscura, mortal, infernal, del conocimiento satánico, o a perderse en el abismo inmortal, celeste, luminoso, del conocimiento divino: *en el torbellino de Dios.* Pero a perderse, aparentemente, de todos modos. A responder con su propia vida, con su propia persona, con su propio ser, a esa novelesca *llamada a desaparecer* a que el mundo, su propia apariencia mortal, le tiene destinado, o predestinado.

La cuestión atroz de la novela es ésta: que obliga al hombre para encontrarse a tenerse primero que perder. Y ésta sí que es trágica burla: como la del torero con el toro. Burla a vida o muerte definitiva. Por eso decíamos que la novela es siempre para el hombre un revelador juicio final. La verdadera novela, como la verdadera filosofía, según Pascal, es la que se burla de la novela. La verdadera novela, diríamos mejor, se burla de la novelería. Así, la más verdadera novela del mundo nos parece el *Quijote* — el *Quijote* como novela y no Don Quijote, personaje, entre otros muchos no menos importantes que él, del libro, de la novela de Cervantes—. Y digo que el *Quijote* nos parece la más verdadera novela del mundo, no como afirmación ditirámbica, sino como exacta definición. Pues el *Quijote* es la novela que mejor verifica la manifestación o revelación del mundo, como lo que es, como tal mundo, como tal apariencia reveladora. El *Quijote* es la novela que se escribe para burlar la novelería —no para burlarse de ella—. Y la burla, en efecto, aprisionándola, enjaulándola, encerrándola en un laberinto de razón. De razón de soñar. El hombre siempre tiene razón de soñar. — Decía Chesterton que el loco es el hombre que lo ha perdido todo, menos la razón. En este sentido, pudiera decirse que el novelista — escritor o lector de novelas — es el hombre que se ha perdido en todo menos en el sueño, donde encuentra una perdición laberíntica, entrañable, que le refleja por entero, y en múltiples facetas, como en un laberinto de espejos, la imagen de su propia razón de soñar. Y pudiera decirse, en efecto, que si el sueño de la razón engendra monstruos: la razón de soñar hace laberintos que los encierra, que los enjaula, que los aprisiona. La razón de soñar hace novelas. La novela es un laberinto con monstruo dentro, como el laberinto inmortal: un *monstruo de su laberinto,* que diría Calderón, quien llamó *sueño* a la novelería del vivir. Al quehacer novelero de la vida.

y si haremos
pues estamos en mundo tan singular.

Mundo tan singular, este en que estamos, que en él, el *espíritu* — como decía Emerson —*se construye su casa como quiere; pero cuando la ha construido se queda prisionero dentro.* Mundo tan singular el de la novela, pues en él el monstruo de la novelería construye su laberinto como quiere; pero cuando lo ha construido se queda preso dentro. Y no hay novela sin novelería. Lo que puede haber es novelería sin novela. ¿Y qué vivo monstruo será ése? A ese monstruo le reconoceremos fácilmente, según las épocas, por diferentes nombres. Ya le hemos nombrado aquí una vez: eran los *libros de caballerías* para Cervantes. En el siglo xix se llama el folletín; después, en el xx, la novelería de aventuras, sobre todo, las policíacas, la novela policíaca. Pero en el siglo que vivimos, nace otro maravilloso monstruo de la novelería, verdadero monstruo de la Fortuna: el cinematógrafo.

Podríamos, pues, entendernos, para abreviar, diciendo que el *Quijote* es un libro que se ha escrito contra el cinematógrafo, o contra la novela policíaca, o contra el folletín. Depende del tiempo en que se lee. Y hubo un tiempo (siempre lo habrá, ese tiempo) en que le dio a los escritores por exaltar la novelería pura, el monstruo en libertad, desdeñando sus aparentes jaulas vacías, las novelas. Fue esto una justa reacción justamente provocada contra las falsas novelas literarias: laberintos sin monstruos vivos, jaulas vacías; novelas sin novelería aprisionada dentro. Y es natural que así proteste el lector de novelas al encontrarse escamoteado su interés, su más vivo afán novelero. Porque no hay novela sin novelería, decimos. Pero no basta esto: es preciso que el monstruo esté vivo dentro de la armazón poética que le encadena. Al monstruo hay que cogerlo vivo.

En un reciente libro de Maurois sobre algunos novelistas ingleses, se sugiere, por el título que los reúne: lógicos y magos, esta dualidad que vengo señalando. La novela tiene su magia y tiene su lógica. Tiene su razón y su ilusión.

Distingamos.

Porque si el Diablo es buen lógico, como es proverbialmente sabido, es todavía mejor mago: es *mágico prodigioso.* Y no hay que volver así del lado satánico del conocimiento del hombre la sorpresa de la novela, todo el arte de la novelería. No. La novela no es un milagro del Diablo. Aunque, muchas veces, y a primera vista, lo puede parecer.

Claro, que la novela romántica se inclinaba mucho de este lado, se dejaba caer en el hacer, o en el decir: *hágase el milagro y hágalo el Diablo;* hágase la novela y hágala el mismísimo demonio si quiere, o si puede. Y, efectivamente, no pudo. Los milagros del Diablo son trampas. El Diablo no hace milagros, hace trampas. Ya veremos cómo la corrupción y degeneración novelesca suele aparecernos como una verdadera trampa.

El milagro de la novela es el sostenerse en equilibrio vivo entre las dos simas, que dijimos, del conocimiento del hombre. Entre el conocimiento de los abismos de Dios y el de los abismos de Satán. Entre el Cielo y el Infierno. El milagro de la novela, que es el milagro vivo del hombre —del hombre que nos ha legado el cristianismo, del verdadero hombre que somos—, es el milagro de este mundo suspendido entre el Cielo y el Infierno, y, a la vez, la convivencia o yuxtaposición humana de lo uno con lo otro; el milagro de la novela es hacer lo que llamaría el enorme místico inglés, Blake, *las bodas del Cielo y del Infierno.* Este milagro humano, vivo, espiritual, monstruo y laberíntico de la novela, se nos revela o aparece, de una sola vez —de una sola vez para siempre— como verdadera, apocalíptica revelación, en efecto, de un mundo clarísimo, luminoso, trasparente y superficial —profundamente superficial—, cuando leemos a Cervantes; de un mundo misterioso, sombrío, oscuro y profundo — superficialmente profundo — cuando leemos a Dostoyewski. Estos dos mundos de novela polarizan, a mi entender, las dos máximas corrientes espirituales de toda la novelería del mundo. Nos detendremos, pues, un poco, en examinarlos.

EL ENGAÑO A LOS OJOS

Quiero destacar una frase, espigada al azar de una lectura del *Persiles y Sigismunda*. Es una frase aquilatada, quintaesenciada, agudísima; una leve frase cervantina:

El alma ha de estar, dijo Periandro, el un pie en los labios y el otro en los dientes; y añade: *si es que hablo con propiedad.*

El alma ha de estar, el un pie en los labios y el otro en los dientes. Como la voz. Como la lengua. O como la voz por la lengua. *Si es que hablo con propiedad*, se añade. Y yo añadiría que *el alma que está con un pie en los labios y el otro en los dientes* es precisamente la misma propiedad humana de hablar. Es la voz instrumentada por la lengua, o enmascarada de sentido, tocada de lenguaje, encarnada en la lengua o por la lengua, en pura sensación. Es el lenguaje vivo del hombre. Es, efectivamente, un alma que quiere salir, escaparse, por la boca. Y, muy probablemente, en Cervantes, para entrársenos por los ojos. Es, en una palabra, la palabra: la palabra viva, creadora, reveladora; la palabra poética.

Si examinamos el lenguaje cervantino, advertiremos en seguida que lo que menos vale en él es lo que llamaríamos su corporeidad auditiva. El *cuerpo de su voz* es tan inconsciente duendecillo sutil que si nos entra por un oído es para salírsenos por el otro. En cambio, es extraordinario, milagroso, en este lenguaje, el poder pictórico de su plasticidad imaginativa, visual. Cervantes, y esto es sobrado conocido, lo mismo cuando escribe en prosa que en verso, suele *sonar* muy mal. El milagro de la palabra cervantina no se verifica en el tiempo, sino en el espacio, luminosamente. Es, por así decirlo, una palabra creadora, la suya, de naturaleza eminentemente visual, teatral, aparente; y aparente con una evidencia reveladora. Este plástico mundo novelesco animado por la palabra cervantina, trasmutado por el mágico poder de la palabra en un mundo verdadero, de pura forma aparencial, de viva animación humana; este mundo maravilloso es, o se hace, así, de una realidad inequívoca, para nosotros: esto es, de una apariencia que no engaña. Las apariencias no engañan nunca en este mundo novelesco teatral de las novelas de Cervantes. Como no engañan en el teatro. Porque en él la palabra, el lenguaje imaginativo, es máscara y es voz. Y quizás no haya otra cosa que eso en este mundo novelesco cervantino: la máscara y la voz. Ved si es que hay en Don Quijote algo más que esto: una máscara y una voz: un alma. Máscara y voz, tan puras de sentido que parecen encarnarnos, ante los ojos, el alma misma de todo lo que llamamos mundo: la apariencia en persona. Y digo expresamente en persona y no en hombre, porque la personalidad es ya una máscara del hombre, una apariencia humana. En Don Quijote se nos representa, en la figura o con la figura que Cervantes llamará triste de un caballero andante, en la *triste figura* de Don Quijote se nos representa el alma de la novelería: el alma y el cuerpo; es la novela en cuerpo y alma la suya: la máscara y la voz del Mundo. El alma en carne viva de apariencia: *el alma que está con un pie en los labios y el otro en los dientes.*

Si Don Quijote nos parece, o se nos aparece, como la máscara y la voz del mundo —el alma y el cuerpo de la novelería o la novela en cuerpo y alma: la novela en persona—, esto quiere decir que la novela de Cervantes y que la novela para Cervantes es un pequeño mundo teatral, un pequeño teatro del mundo: *un retablo de las maravillas; un engaño a los ojos.* Y eso a la vista está. Salta a la vista desde que empezamos a leerle. Don Quijote,

como toda la novelería cervantina, se nos entra por los ojos amorosamente por esa viva animación que le verifica en la figuración
plástica, visual, que tan maravillosamente le expresa. —Advertid,
al paso, que ni a Don Quijote ni a ninguna figura de este mundo
pictórico de Cervantes se las ha podido pintar ni dibujar con exactitud, ni siquiera con aproximación: ni teatralizar, tampoco. Como
que están plasmados por la palabra en imágenes tan perfectas
que trasladar su poderosa, casi alucinadora representación en otro
lenguaje poético es imposible. —*El engaño a los ojos* (título que
es lo único que guardamos de una comedia en que Cervantes
ponía todas sus esperanzas) no es, fijaros bien, un engaño *para*
los ojos: es todo lo contrario; es el engaño que *salta a la vista,* in-
mediato; que se manifiesta o revela como tal engaño; es la *apariencia que no engaña,* como decíamos: es, en definitiva, el teatro,
la máscara. La máscara y la voz del mundo, es el mundo mismo,
sin engaño. Es la revelación del mundo. La novelería de Cervantes es tan profundamente verdadera por ese modo tan puro, tan
exacto, que tuvo de ser verdaderamente superficial. Porque el
alma para Cervantes, auténtico cristiano, es soplo animador del
mundo, espíritu amoroso que lo expresa, manifiesta, revela, en-
volviendo o enmascarando imaginativamente, superficialmente,
por fuera, su corporeidad monstruosa; dándole forma, razón y
sentido. El nombre bautismal de Alonso Quijano es el que le hace
persona cuerda, el que le viste o enmascara de cristiano, de hombre que tiene un alma inmortal. Y este Alonso Quijano, persona
cuerda desde un punto de vista religioso, que era el punto de
vista de Cervantes, persona animada, hombre personalizado o enmascarado de esta especie de razón de ser —que es también razón de soñar—, se enajena a sí mismo, se sale de sí mismo, se
desenmascara de su alma, de su nombre —de su sueño—, para
enmascararse de otros: los de Don Quijote; cambia de traje —de
tragedia—, trueca de vestido, de disfraz; y a trueque de perderse
a sí mismo, se pone fuera de sí mismo, y entusiasmado, es decir,
endiosado de caballerías —esto es, de novelerías, de su propia
novelería—, se traiciona a sí mismo; o sea, que deja de ser el que

era para ser, para hacerse otro: se separa, se desliga de su propio mundo para entrar en otro, acaso impropio de él. No se disfraza Alonso Quijano de Don Quijote; no está dentro de Don Quijote, Alonso Quijano; al contrario, está fuera; dentro de Don Quijote no hay nadie, ni nada: es el vacío, la vanidad humana de Quijano la que encierra esta triste figura del caballero: un poco de aire en que alienta una voz; voz que, ahuecada por la máscara, por el vacío de la máscara, resonará hasta el cielo como un grito, revelándonos a voz en grito el secreto de la vanidad quijotesca, secreto a voces, en Cervantes, de toda la novelería. El secreto a voces del mundo, que es su vanidad. *El engaño a los ojos.* Y cuando Quijano recupera su verdadera faz, la de la máscara cristiana de su alma, su personalidad de cristiano, la persona mortal de su otro nombre: *verdaderamente está cuerdo y verdaderamente se muere. — Con un pie en los labios y el otro en los dientes,* se le va el alma, la fuerza del alma, por la boca.

Al verdadero novelista que fue Cervantes, como al personaje de su libro, toda la fuerza, toda el alma, se le iba por la boca. Se le iba por la boca toda su fuerza animadora del mundo: la palabra. Pues, como el charlatán de su retablo maravilloso, evoca las imágenes del mundo ante nosotros con tal viveza, con tal fuerza viva, que nos las mete por los ojos a viva fuerza, milagrosamente: sin que las veamos, viéndolas. Mas, este engaño sin engaño, este visto y no visto sorprendente, no se funda como en el famoso teatrillo en una mentirosa afirmación nuestra, sino en una verdadera negación suya. La negación del hombre sin nombre, del hombre sin máscara: del hombre sin personalidad; negación fundamentalmente cristiana; negación que afirmará, en cambio, por la burla y para la birla, en una comedia casi contemporánea del *Quijote,* el antípoda dramático del quijotismo, el burlador, Don Juan.

No hay hombre sin nombre en el Quijote. El protagonista y muchos personajes tienen dos. El autor mismo tiene dos. No hay hombre sin nombre para el cristianísimo Cervantes. No hay hombre sin alma. No hay hombre sin máscara, sin disfraz.

Por eso entre Alonso Quijano y Don Quijote no cabe nada, no cabe nadie, no cabe hombre alguno; por esto, porque cabe todo entre ellos: todo un mundo; cabe toda la vanidad del hombre, toda la vanidad de vanidades del mundo. Y por eso, *este mundo*, para no engañarnos, se nos revela como engaño. *¡Engaño a los ojos!* ¡Pues está claro! ¡Qué maravilloso retablo teatral nos muestra, de este modo admirable, la novelería cervantina!

Este mundo maravilloso de las novelas de Cervantes, en que tan superficialmente espaciadas, en tan clara atmósfera de aire, de luz, se nos muestran todas las cosas, animadas de este modo amoroso por el poeta que las enmascara, por así decirlo, de alma, para evidenciárnoslo mejor; este mundo maravilloso se nos manifiesta, por eso, más que como un mundo moral como un mundo animado por una íntima religión o unión invisible de todo: por una amorosa coherencia y total armonía. La última palabra de este mundo —la última palabra de Cervantes sobre la novela, sobre el mundo—, es ésta: *desengaño*. Pero entre tanto —y todo es *entre tanto* en las novelas, todo es *entre tanto* en el mundo—, ¡ah!, entre tanto, se nos mete el mundo, así amorosamente animado por la palabra, se nos mete este mundo, maravillosamente, por los ojos; como una risa: como una clara risa. Porque el desengaño de este mundo, de estos mundos —de todos los mundos de Dios—, acaba en eso, precisamente: en risa; porque acaba en Dios. Donde acaba el mundo para el hombre, empieza el mundo para Dios. O por decir mejor: donde acaba el mundo del hombre empiezan los mundos de Dios. Esto, cristianamente, lo creía, lo esperaba Cervantes. Y por eso escribió como escribió. Por eso construyó tan claramente el laberinto de la novelería: el arte poético de la novela. Porque si la novela es mundo humano, la poesía es mundo divino. La poesía está siempre *del lado de allá*. El mundo de la novela acaba donde empieza el mundo de la poesía. El fin del mundo de la novela —su revelación— es el principio del mundo de la poesía. Donde acaba el *Quijote,* justo donde acaba el *Quijote,* empieza el *Persiles y Sigismunda.*

LA RAYA LUMINOSA

Cervantes, que se conocía muy bien a sí mismo, y sus cualidades de escritor, creyó, seguramente, que el *Persiles y Sigismunda* era su obra maestra. Quizás llegue algún tiempo en que la crítica lo reconozca así. Por mi parte quiero confesaros que es y ha sido siempre el libro de Cervantes que he preferido y leído con más gusto.

En esta novela alcanza la invención cervantina una insuperable perfección; por eso se eleva y trasciende de lo novelesco a lo poético, bordeando sus fronteras, como si realmente aquella estupenda escapada de su creador a las regiones hiperbóreas, le hubiese trasmutado el sentido de lo real. No se vuelve de la isla de Tule, y de sus mares circundantes, lo mismo que se ha ido. Puedo deciros, por experiencia personal, que a la lectura del *Persiles* deba, acaso, la más pura resonancia espiritual que en mí tuvo el cotejo real de sus paisajes. La sensación de que nos fingen, a la mirada, una región vecina de la muerte, cercana de Dios. (*Puesto ya el pie en el estribo...*)

No sé si alguna vez la crítica habrá señalado la diferencia, para mí esencial, entre la España de la segunda parte del *Persiles y Sigismunda* y la del *Quijote*. No es ahora ocasión de extenderme en ello. Pero quiero dejar señalado a la curiosidad del lector esta referencia.

Y otra, que confirma el planteamiento de la cuestión novelesca, como vengo haciendo, en un mundo humano, cristiano, suspendido entre dos abismos: el celeste y el infernal. *Desde el cielo, a través del mundo, hasta el infierno,* se nos dice en el *Fausto* de Goethe. Y Goethe verifica esta afirmación al contrario que Cervantes, descendiendo de la poesía en ese admirable libro fronterizo de *los años de aprendizaje de Wilhem Meister,* donde con melancólica serenidad se cuenta una vida, impregnada todavía, al novelarse, de puras esencias poéticas. La poesía, decía Novalis, que contradijo admirablemente el libro de Goethe con otro suyo, *la poesía resuelve todas las existencias ajenas en su existencia propia.*

Yo quisiera comunicaros mi gusto y preferencia por la lectura de un Cervantes que hace de la novelería este juicio final en beneficio de lo poético: esta especie de testamento religioso, que afina la melancolía y el desengaño en nueva trasparencia de esperanzas. Mi gusto por el *Persiles y Sigismunda* llega hasta recordarme a Dante; pues yo afirmaría que esta novela a lo divino de Cervantes merece llamarse, sin parodia, mucho mejor que la de Balzac: la *comedia humana.* Todo el clásico mundo de la novela cervantina merece verdaderamente este título.

SITUACION CRITICA

Si me detengo en el examen de la novela cervantina —y aún no tanto como quisiera— es porque en ella se verifica con ejemplaridad nunca superada la realización íntegra de la novelería como arte poético de la novela; esto es, de lo que he empezado por llamar la revelación permanente de la novela, como revelación del mundo, como revelación del hombre, como revelación del mundo del hombre. Y esta revelación se hace, a mi entender, como toda revelación humana, de un modo enteramente revolucionario. Porque se genera en el espacio la figuración reveladora, diríamos que como la figuración geométrica, engendrándose en el propio movimiento revolucionario que imaginativamente la expresa. —Como Minerva, naciendo entera y verdadera de la frente de Zeus.

A mi parecer, no es un hecho insignificante el de que la novela cervantina, esta clásica generación de la novela española, se fundamente y origine en el pueblo español. Como se hizo en el teatro, también inventado de este modo, revolucionariamente, por Lope. No. Los pueblos se expresan en la historia de modo efectivo, es decir, eficaz, cuando lo hacen revolucionariamente: porque únicamente por la revolución popular tiene efectividad y eficacia la voz popular. Los pueblos no han tenido nunca en la historia otro modo de hacerse oír, y de hacerse entender, más que ése: el de la voz en grito revolucionario: la voz en grito de la

101

sangre; el clamor de su propia sangre vertida. Y por eso la voz popular es voz divina. Voz y no voto. Porque la revolución, en definitiva, es Dios. Pues, con perdón de los teólogos, Dios puede representársenos, popularmente, como la revolución en persona: o sea, no solamente como la proverbial voz del pueblo, sino, también, como su máscara divina. En la novela de Cervantes, como en el teatro de Lope, podríamos encontrar la clave de esta afirmación que, a primera vista, puede parecer peregrina: Dios es la revolución en persona dramática de pueblo. Como el Diablo, en definitiva, es la contrarrevolución impersonal; pues la negación le pertenece siempre. El Diablo es y ha sido siempre el verdadero *Enemigo número uno*. No hay que quitarle el título. Pero no el enemigo del Estado, no; el estadismo, como el nacionalismo, como todas las reacciones antipopulares, son cosa suya. El Diablo es, ha sido y será siempre, porque lo es por definición: *el enemigo del pueblo*. Enemigo, repito, impersonal, zigzagueante, serpentino.

La generación clásica de la novela, y su realización en nuestro Cervantes, es generación popular y, por consiguiente, revolucionaria, como la del teatro de Lope. Porque ambas se proyectan por la palabra, proyectando esta palabra divina de la comunión popular, en un mundo imaginativo que refleja o espeja la razón de soñar del hombre que fue la razón de soñar de un pueblo entero. Entero y verdadero. Porque ambos, Cervantes y Lope, especulan, con esta verificación poética del teatro y la novela, de modo equivalente, correlativo. Por eso, por paralelismo, no se encontraron nunca; a pesar de ser simultáneos en el empeño. Pues los dos provienen de una misma fuente común — a que sólo puedo aludir ahora para no eludirla —: *La Celestina*.

Cervantes, decíamos, ha teatralizado la novela, enmascarándola de claridad, de claridades espaciales; animándola de tan superficial revelación formal que nos evidencia el mundo humano, la voluntad de nuestro mundo humano, en una representación maravillosamente ejemplar: por desengañada del hombre.

Lope, dije en otra ocasión, ha desenmascarado el teatro, lo ha novelado en cierto modo, lo ha integrado o entrañado de novelería, de novelerías, para intrincarlo en el laberinto de los tiempos, dando a sus apariencias formales el desengaño revelador de la estrellada, la apariencia eterna de esa música de los astros, que, como mensajera de la fe, nos entra hasta el corazón por los oídos: el gran desengaño de Dios.

Y estos dos mundos españoles que señalamos: el de la novela teatralizada de Cervantes, el del teatro novelero o novelado de Lope — el ciclo entero de este teatro desde Lope hasta Calderón —; estos dos mundos imaginativos, nos llevan a la conclusión que enunciamos desde el principio: el monstruo de la novelería, el sueño de la razón humana, se expresa o manifiesta o revela, por su propio movimiento revolucionario, engendrando, construyendo, haciendo de su propia razón de soñar, un laberinto, un verdadero laberinto, un claro, luminoso, trasparente laberinto racional.

Y en esta dualidad, en esta conjunción, radica y se alimenta su dramatismo. La savia terrestre de su pasión humana enciende y riega, como la sangre, el natural frondaje que se arraiga, luminoso, en los aires, en los cielos. Como la figura de un árbol vivo, la novela clásica de Cervantes, nos enseña su presencia en el paisaje, a la altura de nuestros ojos, sin que apenas tengamos que levantar la vista para conocer su maravilla. Los cavadores del romanticismo ahondarán a su alrededor una fosa sangrienta, para revelarnos el mundo invisible de las raíces que le sustentaba en el sueño. *El engaño a los ojos* de Cervantes, después de tres siglos de novelerías y de novelas en el mundo, se nos va a hacer, por Dostoyewski, un engaño al corazón: el engaño al corazón.

TRES ENEMIGOS DEL ALMA

La generación clásica de la novela, al proyectarse en el espacio de una manera racional o astral, animada, incorruptible, dejó ejemplarizado efectivamente, como quiso Cervantes, su significado aparencial, revelador, revolucionario, permanente. El monstruo en su laberinto. La novela como revelación, como revolucionario juicio final. Mundo aparte, como la poesía. Mundo en los linderos de la poesía. Lo que diríamos con un bello título del novelista Conrad: mundo en *la línea de la sombra,* en la raya de la sombra. El linaje — de esta su línea —, la raza — de esta su raya —, que con el tiempo, andando el tiempo, le sucede, lo hace, efectivamente, en el tiempo, en desenvolvimiento sucesivo, gestándose en el tiempo andariego, en la oscuridad de esa noche entrañable de lo temporal, generándose como la vida en aquello mismo que la degenera y corrompe.

La novela romántica, cuya culminación podremos entender realizada por Dostoyewski, dejando en libertad al monstruo de la novelería, se multiplica infinitamente como una vía láctea nocturna; gestación de mundos posibles e imposibles; aparente selva, *floresta de engaños,* cuya magnitud sobrepasa el alcance de la mirada.

La generación de la novelería romántica, de la novela moderna, es, al mismo tiempo, porque lo es en el tiempo, la degeneración, la corrupción de la novela: el desequilibrio de sus fuerzas creadoras. Es la corrupción de la novela por la novelería y la de la novelería por la novela. Todo el siglo XIX, el estupendo siglo XIX, nos muestra esta agonía. Pero el mal —y el bien— de toda esta lucha, verdaderamente titánica —pues en ella juegan los nombres de titánicos novelistas, como Stendhal, Víctor Hugo, Sue, Balzac, Dickens, Flaubert, Zola, Tolstoi, nuestro Galdós... —, el mal y el bien de esta viva y mortal lucha novelera, arranca del siglo anterior: del XVIII; del realismo romántico de los ingleses y de cuando Juan Jacobo Rousseau se puso, impúdicamente, a confesarse y el desconocido Laolos a confesar, escandalosamente, a los demás. Y hay acaso un momento inicial, en el final del XVII, de sutilísima intersección, que es cuando madame de La Fayette, aprovechando las enseñanzas de nuestra mística, traza, dibuja el primoroso laberinto de amor, de mirto, en el jardín de la *Princesa de Clèves*.

La novela romántica se genera, monstruosa y laberíntica, sin proporción, en aquellas mismas cosas, por aquellas mismas causas que la corrompen. Porque se engendra en el tiempo material; esto es, en la lógica y la magia del tiempo: en su razón y en su ilusión. Se genera en la historia, en la psicología, en la moral.

Los tres enemigos del alma de la novela son estos tres que digo: la moral, la psicología y la historia. La novela moderna —que es más amplia designación ésta que la de romántica a que pertenece— se engendra y corrompe por la historia, por la psicología, por la moral.

Y ya sé que decir que la novela se corrompe por la moral puede parecer paradójico y escandaloso. Pero así es la verdad. Puede que la novela, las novelas, hayan corrompido la moral; pero lo que es cierto, certísimo, es que la moral ha corrompido siempre la novela.

NOVELERIA Y ROMANTICISMO

No dejará en el aire esta gravísima afirmación pendiente: que la moral corrompe la novela, como la corrompe la historia, como la corrompe la psicología. Estos son los tres enemigos del alma de la novela, pues hemos entendido por alma de la novela aquella generación clásica que le dio Cervantes, por ejemplo, o como ejemplo, generándola en los espacios del pensamiento como un verdadero mundo aparencial: como la máscara y la voz del mundo. El lenguaje de la novela, pensamos, es su animación, es su alma. Evocamos el *retablo de las maravillas*, por esto. Es el ímpetu revolucionario que le inspira la voz popular de lo divino, engendrándola en el dramático empeño de perdición en que radica la voluntad del hombre. La novela clásica es el mundo del hombre, es la voluntad y representación del mundo humano.

Se ha creído y se ha dicho constantemente por la crítica, que éste, que ahora nosotros venimos enjuiciando de esta manera, es un mundo de lo novelesco que no tiene relación ninguna con la novela moderna; que la novela moderna ha nacido en el siglo XIX con el romanticismo, aunque — como también señalamos — sus raíces, como las del romanticismo, arranquen del siglo anterior, del XVIII. Aun no siendo la evolución histórica de la novela el propósito que aquí me guía, tengo, sin embargo, que referirme a ello; lo indispensable para desbrozar el camino de su posible estorbo. Pues, los que así piensan, creyendo que la generación de la novela moderna no parte en cierto modo de la degeneración de la novela clásica — es decir, no de la verificación de la novela clásica en el espacio, sino de su corrupción en el tiempo —, suelen empezar por negar la existencia misma de esa novela clásica. Y lo hacen con diferentes argumentos. Los más sutiles, que yo quisiera resumir aquí, son, a mi parecer, los del penetrante y audaz ingenio, si no genio, postromántico francés, Ernest Hello.

Para Hello, el mundo de la novela antigua, de la novela clásica, está significado por una frase de Ficker, que nos cita, y es ésta: *la novela es la descripción oratoria de una serie de aventuras maravillosas.* Y, luego, nos añade que Antonius Diógenes escribió una de estas relaciones y que de lo que en ella se trataba, según allí se afirma, es *de las cosas maravillosas que pueden verse más allá de la isla de Tule.* Nosotros ya sabemos a qué atenernos, gracias a Cervantes, sobre lo que llamamos la vuelta de la isla de Tule. Y en cuanto a *la descripción oratoria de una serie de aventuras maravillosas,* es concepto tan vago que lo mismo puede aplicarse a la novela de los griegos que a cualquier otra forma de novela o novelería, predominantemente novelera, o, para decirlo a nuestro modo: predominantemente monstruosa. Una novela policíaca suele ser también o pretenderlo: *la descripción, más o menos oratoria, de una serie de aventuras, más o menos maravillosas.*

No estriba, a nuestro juicio, la naturaleza de la novela clásica en expresarse como mera novelería. No es ése más que un modo demasiado simplista de enjuiciarla para, eludiendo su complejidad, eliminarla ante el hecho, de mucho más volumen aparente, que trae a nuestra consideración actual la enorme producción novelística y novelera del romanticismo. Por esa falsa ruta se llega a conclusiones tan inconsistentes como la de que la novela es una degeneración de la épica. Y a esas tópicas tonterías de decir, por ejemplo, que la *Odisea* es una lectura novelesca. Tan tonto como decir, a la inversa, que el *Quijote* es un poema, un mito, un verdadero engendro épico. Afortunadamente no lo es. Ni, gracias a Dios, pudo serlo. Y gracias a Dios digo, pues gracias al punto de vista cristiano de Cervantes, en este mundo y sobre este mundo

— punto de vista religioso y no moral — pudo hacer lo que hizo: una novela; y nada más que eso: una maravillosa novela. Es decir, un mundo. Si me detuve en la consideración del arte nuevo de la novelería inventado por Cervantes, fue precisamente por esto: porque, gracias a él, podíamos llegar a la afirmación clara y terminante de lo que es la novela, de lo que es una novela: una novela clásica; no antigua ni moderna, sino permanente; revolucionaria y permanente. Permanente como verdaderamente revolucionaria y revolucionaria como verdaderamente permanente.

En la degeneración conceptual de ese punto de vista novelero y novelador se engendra, por eso, a mi entender, la novela romántica, la novela moderna.

No elude, sin embargo, este otro enfoque crítico de la novela, el atisbo genial que sobre la novela y la novelería romántica nos dejó escrito Hello. De él son estas palabras, que valen meditarse:

El poema épico — nos dice — *contaba los viajes de los pueblos, viajes entreverados de guerras. La novela cuenta en ese mismo tono los viajes individuales, viajes entreverados de aventuras. Las naciones habían pedido al poema épico que las perpetuase en las grandes hazañas que habían realizado. El individuo pide a la novela que invente las grandes hazañas que no realizó nunca: pidiéndole que le satisfaga lo mejor posible esos vagos deseos de heroísmo entrevistos en su imaginación y que su corazón no ha podido nunca realizar.*

O sea, que esta épica degenerada, según Ernest Hello, que era la novela antigua, tendía, como él mismo dice, a separar, a alejar al hombre de sí mismo. La peripecia de esta novela es una escapatoria. Pensad en la novela de aventuras, en la novela policíaca, y decidme si no es, si no sigue siendo lo mismo. Mas sigamos con sus palabras:

La novela moderna olvida la isla de Tule, olvida las Mil y una noches, pierde todo recuerdo de países lejanos, y arrojando la trompetería de la épica, toma el tono de la conversación habitual; le gusta contar cosas vulgares; entra en nuestras ciudades, en nuestras casas, en nuestras alcobas... Y haciéndose vecina nuestra, se moderniza. Se familiariza con nosotros, conviviendo, contemporizando con nosotros. Y añade Hello con certero tino: *hace tantos esfuerzos para acercarse a nosotros como había hecho la novela antigua para alejarse, para separarse. Y aún: la novela antigua había falseado el sentido de la vida ideal. La novela moderna falseó el sentido de la vida real. La novela antigua había extraviado a la imaginación. La novela moderna ha extraviado al corazón.*

Hay en estas últimas palabras, consecuentes con el criterio que su autor expone, nada menos que un tremendo reproche *moral* contra la novela, una solemne acusación en forma. Pues, más adelante, las expresará, las lanzará con más violencia contra su siglo: se las echará en cara como un formidable *yo acuso* contra la novela, diciendo:

La novela antigua excitaba la curiosidad por la rareza de sus aventuras y por lo maravilloso de los países lejanos que describía. ¿Qué ha hecho, en cambio, la novela moderna para reemplazar esa atracción de lo desconocido? Pues veamos lo que ha hecho: ha recurrido a la pasión, se ha dirigido a ella pidiéndole que reemplazase a la isla de Tule. Ha inventado sentimientos violentos para suplir con ellos, con su desbordamiento interior, a las grandes hazañas exteriores, que ya había agotado. Mezclando la pasión con todo en la vida cotidiana, ha persuadido a todos, hombres y mujeres, que la pasión es la sal de la vida. Y como estas excursiones por las regiones de la pasión son más fáciles de hacer que un viaje a Tule, el lector no tenía más que alargar la mano para cogerla; y entonces, de este modo, el deseo de imitación pasional se engendraba en su corazón. Mas: la pasión vacía el corazón del hombre.

La pasión ha removido al alma sin poner orden alguno en ella.

Ha excitado todos sus apetitos, sin satisfacerlos. Ha hecho gritar al aburrimiento del hombre, antes sordo y mudo. Ha comprobado su vacío y, en lugar de disminuirlo, lo ha agrandado aún más, al comprobarlo. El aburrimiento dormido permitía aún al enfermo, su paciente, un cierto apetito, algo de sueño. Pero el aburrimiento que despierta, sin dejar de ser el aburrimiento, nos mira ya del lado de la muerte. — El aburrimiento del siglo xix *no era un aburrimiento superficial, era un aburrimiento profundo: un abismo.*

Y en consecuencia extraordinaria, en estupenda paradoja, concluye Ernest Hello: *La novela es el libro aburrido por excelencia.*

Estas relampagueantes afirmaciones pueden ayudarnos a encontrar el paso entre las enmarañadas espesuras de la novelería romántica. Son estos brillantes vislumbres sobre tan compleja realidad, orientadores del pensamiento que venimos desenvolviendo. Atisbos estos del aburrimiento y la pasión en la novelería romántica que van a servirnos de certeros indicadores de nuestra ruta.

EL EMPEDRADO DEL INFIERNO

Notemos, ante todo, que esa aproximación o familiaridad de la novela a nuestra vida cotidiana, denunciada por Ernest Hello, no es una invención infernal del romanticismo novelesco. Es todo lo contrario. Es una invención o una pretendida invención celeste —y rosa— del realismo inglés del xviii. De los Richardson, Fielding, Smollet, Goldsmith, Sterne... De esta novela de que los ingleses se enorgullecen como de la invención de toda la novelería moderna. Novelería a la que llamaba Taine, para definirla, la novela anti-novelesca. (Los franceses, como es sabido, hacen del sustantivo *novela*, lo romántico y lo novelesco.) *Le roman antiromanesque* es un realismo de moralistas siempre acentuada por el prejuicio del bien, solución de todo. En toda esta novelería que invadió Europa, sembrando, en efecto, las semillas del romanticismo novelero, no va implícito, como definíamos de la verdadera novela, ningún juicio final: al contrario, va explícito un previo juicio, un prejuicio que postula la bondad de su mundo. Todos estos mundos son buenos, y por serlo, los buenos son tan buenos y los malos tan malos en él. Ya es hoy para nosotros solamente una curiosidad literaria conocerlos. A veces, por un capricho de bibliófilo, más que de lector, nos perdemos en ellos. Pues en estos mundos de Pamelas y Clarisas y Lovelaces no hay de infernal, diríamos, más que las buenas intenciones. Ya que, como se dice por el pueblo: *de buenas intenciones está empedrado el infierno.*

111

Y, efectivamente, de las buenas intenciones morales de toda esta copiosa, riquísima y aburridísima novelería del xvIII se empedró o sustentó, el de ella, así sostenido y fundamentado, infierno de la novelería romántica; mundo de novelas por Hello denunciado y acusado de inmoralidad corruptora. De tan celeste y cándido empeño moralizador se obtuvo exactamente la reacción contraria; pero tan exactamente contraria que se verificaba con idéntica puerilidad. Al prejuicio divino, celeste, sonrosado de aquellos moralistas, o pretendidos tales, sucedía, en efecto, el prejuicio contrario: el sombrío, oscuro, infernal de los grandes folletinistas románticos. Y aun de los grandes novelistas: Dickens y Balzac, por ejemplo. Aunque con ellos surge, naturalmente, por la complejidad de su arte, una cuestión distinta.

La novela romántica y naturalista —la novela moderna— en su origen celeste y en su consecuencia infernal, nos aparece, hoy, como el guardarropa aviejado de un teatro inútil. Y es que hubo en todo ello la polilla o carcoma invisible de los falsos prejuicios de moralidad que la determinaban. De moralidad, de costumbrismo. De observación y realización costumbrista de la vida. De aquí lo pintoresco en lo fantástico y lo fantástico en lo pintoresco de Hugo, Dumas, Balzac, Sue; la representación ilusoria, ficticia, de las pasiones: de la agitación de las pasiones. Para sostener estos mundos, que no son tales mundos —pues no es mundo el cielo ni el infierno, sino lo que está suspendido entre ellos, integrado por ellos—, para apoyarlos, sostenerlos en algo, hubo, en efecto, que acudir a su prejuicio moral, a suponerlos ya juzgados. Para el novelista, de esta artificiosa, candorosa moral, que sabe lo que es bueno y lo que es malo antes de escribir, de inventar su novela; que nos dice transcribir sus mundos por una observación minuciosa del mundo social o individual, costumbrista o acostumbrado, del mundo o los mundos en que vive; para este novelista no hay cuestión, no hay problema moral en la novela. Ha empezado por darle a sus personajes el vestido de bondad o de maldad que les convenía. —Trajes hechos a su medida, que es la que les quiso dar el autor—. No es ésta una especulación verdaderamente teatral, sino lo contrario, una engañosa apariencia, un espejismo falso. Con ingeniosa frase escribía Edmond Goosse que el realismo de la novelería inglesa dieciochesca había producido en toda Europa el mismo efecto de sorpresa y entusiasmo que un trozo de espejo entre salvajes.

UN ABURRIMIENTO MORTAL

Cuando, en vísperas de la revolución francesa, un desconocido oficial francés de artillería publicaba en cuatro libritos una novela, al parecer igual a tantas otras, pero cuyo lema ya empezaba por hacerla sospechosa — lema tomado de *La Nueva Eloísa,* de Rousseau, y que dice: *He visto las costumbres de mi tiempo y publico estas cartas* —, con este hecho, al parecer insignificante, se produjo el escándalo mayúsculo, el grandísimo escándalo que hizo famoso el libro en seguida.

¿Qué había en él para que esto sucediera? Pues que en este libro de *Las amistades peligrosas,* de Laclos — que nosotros, en castellano, llamaríamos, acaso con más exactitud: *las malas compañías* —, por primera vez en el molde de las Clarisas y Pamelas o de los Crebillon y Florian se vertía una mezcla inmoral. Pues a través de aquellas cartas, ya tocadas quizá de la corrupción psicologista — que ésta es otra — en que se engendraban, por aquellas cartas que intricaban con tan fino estilo el laberinto de una novela verdadera, se ponía de manifiesto algo verdaderamente escandaloso: la mezcla del bien y del mal, la yuxtaposición del cielo y del infierno. El mundo, en suma, un verdadero mundo, una verdadera novela. El mundo humano de la novela: del dramático ser, de la agonía dramática del hombre, de todos los mundos del hombre.

El moralista, vendrá a decirnos Nietzsche, es el hombre para

114

quien la moral es un problema y que, por tanto, se convierte a sí mismo, a su vez, por esto, en un ser problemático.

La novela es un mundo cuando empieza por sentirse problemática moralmente, cuando empieza por ponerse a sí misma en tan dramática, tan crítica situación moral. Porque siendo mundo del hombre, es o se hace cuestión de todo lo humano. Y en el hombre — en el hombre repito que somos, el hombre que nos ha legado el cristianismo — la moral es un estado de lucha permanente, una verdadera, dramática, crítica situación de lucha, de agonía. La moral del hombre cristiano no es *la ciencia del bien y del mal:* ésa fue la tentación satánica. La moral científica es cosa diabólica, serpentina, demoníaca. Es la negación mortal de la vida. La moral del hombre cristiano no es cosa natural, ni ideal o racional, ni práctica, sino que es aquella sobrenatural, evangélica, del amor, de la caridad, que abriéndose paso al temor de la vida, con todas sus posibles consecuencias, sus dichas y sus daños, sus aciertos y sus errores, se enunció sencillamente diciendo: *no juzguéis.* Porque el hombre juzgado es hombre acabado totalmente. El hombre, juzgado por el hombre, es hombre muerto. Juzgar, entre los hombres, es matar. No hay nada más difícil, por eso, entre los hombres, que separar, disociar, diferenciar la justicia de la venganza. La única justicia humana evidente es la que se ejerce en nombre de Dios. Y ya sabemos que el nombre divino entre los hombres es el nombre de pueblo. La justicia de la voz popular, que es voz divina, ha sido, por eso, la única verdadera justicia inapelable de la historia. La venganza de Dios.

La novela, el mundo de la novela, no puede ser juzgado moralmente. Porque mundo humano, juzgarlo es matarlo. El novelista que prejuzga su novela moralmente la hace abortar. A no ser que deje a su propia obra la posibilidad de contradecirle. Pues siendo la novela mundo humano, es ya, como tal novela, mundo moral: esto es, mundo dramático, de lucha, de agonía. Mundo que espera, definitivamente, no ser juzgado por el mundo, sino ser juzgado por Dios; que es tanto, en este mundo, como no poder ser juzgado.

La moral mata el mundo de la novela como mató el mundo del hombre: la tentación científica de la moral, de la sabiduría moral. La ciencia del bien y del mal. La que hace a los hombres como dioses, según las palabras satánicas. La que los endiosa, efectivamente, de sí mismos. La que los vacía de Dios.

El gusto de la ciencia prohibida, de la ciencia del bien y del mal, engendró la muerte, engendrando, acaso, desde entonces, en el hombre, el aburrimiento mortal; pues el aburrimiento es ese abismo del vacío divino que se nos revela en la vida del hombre como presencia de la muerte, o sea, como ausencia de la vida imperecedera: como ausencia de Dios. Por eso acertaba Ernest Hello diciéndonos que el despertar del aburrimiento se vuelve de cara a la muerte. Por eso, diríamos nosotros, hay que darle la cara al aburrimiento: hay que mirar al aburrimiento de cara. Quiero decir que hay que divertirse. Pues aunque parezca paradójico, no hay nada que más nos lleve al aburrimiento, que más pronto y mejor nos lleve al aburrimiento, que la diversión. Todo el que es sincero sabe, por experiencia propia, que no hay nada más aburrido que divertirse, que no hay nada más plenamente aburrido que la diversión. Cualquiera que ésta sea. Pues no está en ella, sino en el hombre mismo, el descubrir la banalidad de su engaño.

La diversión no suele ser nunca otra cosa, para el hombre, que el eco de su aburrimiento: el reflejo, la imagen de su hastío.

La novela es verdad que puede titularse como *el libro aburrido por excelencia;* pero es precisamente por esto: por ser el libro totalizador, unificador de la diversión.

MUNDO DE PERDICION

La diversión del hombre en el mundo no es su verificación por el mundo, sino, al contrario, su diversificación, su perdición en él. Lo que divierte al hombre en el mundo es la verificación de esta diversidad del mundo para él; el sentirse diverso, diferente del mundo: sintiéndose único, en el mundo, sintiéndose, por tanto, solo. Es el tenerse que perder en la diversidad de todo para poder llegar a encontrar la unidad de todo en sí mismo. A ensimismarse en todo. Así, la diversión del hombre se convierte en la verificación de su aburrimiento; porque busca con ella la unidad de una diferencia y no la unidad de una comunión. A fuerza de querer divertirse, de querer perderse en el mundo, por la fuerza misma de su diversión, el hombre se verifica a sí mismo como único, como total y verdaderamente uno; como un hombre aislado, solitario, independiente, separado de todo. Es la plenitud de su soledad en el mundo lo que verifica de este modo por la diversión: la totalidad de su aburrimiento, de la vanidad, del vacío de su propio ser: el vértigo del abismo pasional de su nada; la mirada de la serpiente. El hombre solo, ensimismado de este modo único y total en su mundo, el hombre completamente, plenamente solo, tiene miedo y quiere perderse, esconderse. Pero no esconderse del mundo, sino esconderse en el mundo: taparse con el mundo a Dios. Esconderse de Dios: perderse en el mundo para poder, en él, esconderse de Dios. Porque tiene miedo de Dios. Y cuando

117

Dios le llama, por primera vez como una voz, como una sola voz entre todas las voces del mundo, el mundo se hace equívoco para él, se vacía de la voz divina, se puebla de voces diversas, se divierte de Dios y del hombre, se *separa* de ellos y se pierde: el mundo está perdido por el hombre al separarse de él. La separación es la razón de ser satánica: el mundo se rebela, se separa, y en el acto mismo, por el acto mismo de rebelarse, de separarse, se vela, se viste, se encubre de apariencia o enmascara, se hace engaño a los ojos del hombre, se hace equívoco y diverso del hombre, separado del hombre y de Dios: se sataniza. El mundo está perdido. Y entonces, sólo entonces, en la narración bíblica, el hombre empieza su verdadera sabiduría, su cordura; porque no empieza por endiosarse con la ciencia del bien y del mal, con la trampa científica de la moral que le puso el Demonio, sino que empieza por tener miedo, por el temor. El hombre solo, ensimismado, por primera vez en el mundo, separado de Dios, tiene miedo; un miedo espantoso, total; siente la plenitud totalizadora del miedo, porque siente, por vez primera, como plenitud, su vacío divino, la nada, el abismo vertiginoso del no ser. Se siente verdaderamente perdido. Siente entonces, digo, por eso, un miedo total y totalizador; un verdadero terror pánico. Y así, respondiendo a la voz divina, lo confiesa: *tuve miedo,* y añade: *porque estaba desnudo, y me escondí.* Toda la novelería del mundo empieza por este capítulo del Génesis. El hombre quiere ser el que era y no ser el que es: quiere *hacerse de nuevas.* Y se viste, se enmascara, para no sentirse desnudo, para sentirse otro. Para divertirse. Y así, busca su perdición en el mundo, en ese mundo que es ya también otro, otro vestido, otra tragedia, una pura apariencia viva, eco equívoco de su voz, reflejo múltiple de su, desde entonces, trágico ser. La diversión del hombre en el mundo y por el mundo es una especie de pudor del hombre ante sí mismo, que es, en definitiva, miedo, temor de Dios. El hombre tiene miedo a aburrirse —he dicho alguna vez—, que es como si le tuviera miedo a su miedo, porque es tenerle miedo al temor. La diversión es, como si dijéramos, para el hombre, el pudor del aburrimiento.

El hombre quiere tapar, esconder, esa especie de borrachera de la nada que es su propio desnudo espanto de no ser, su vanidad, su propia angustia de perderse. Mundo de perdición el de la novela para el hombre, y por consiguiente, mundo de salvación. El hombre tuvo, tiene que desnudarse de veras, para poder, de veras, negarse a sí mismo: clavarse en una cruz y hacerse verdaderamente, totalmente, religiosamente de nuevas. Cristo ha vencido al mundo, nos dice San Juan, de este modo. Volviéndole de cara a Dios — devolviéndole su propia máscara divina, desnudándolo de tragedia — ; volviendo a la unidad de Dios, al hombre solo, al volverlo hacia la totalidad humana de su ser divino, a la comunión, que es sobrenaturalmente como un revolucionario comunismo permanente de los santos. Esto es, volviéndole a la verdadera religión.

El punto de vista religioso cristiano de un Cervantes, salva la novela. El punto de vista moral — que es siempre, repitámoslo, el punto de vista satánico: la mirada de la serpiente — la corrompe y la destruye. Los moralistas corrompen al hombre por el vestido. Como las mujeres. La moral de los moralistas es una femenina modistería corruptora, cosa pasajera y engañosa: porque es precisamente eso: cosa de paso, de salir del paso; cosa de hacer pasar: y de hacer pasar lo que es por lo que no.

Esta novelería corrompida por la moral lo es por el costumbrismo, causa viva de la moral. Las costumbres son el guardarropa del infierno. El hombre salió — y sale — desnudo de la mano de Dios; fue al darse al Diablo, y al salir de sus manos, cuando tuvo — y tiene — la necesidad moral de vestirse; el hombre desnudo es religioso; el hombre, al vestirse, se hace moral. Pues esta corrupción moral de la novela, que digo, la enmascara, la miente, la falsifica; y así pudo hablarnos entonces Balzac de *la augusta mentira de la novela*. ¡Como que nos había dicho antes que *la vida es nuestro vestido!* Y no es verdad. No miente el hombre con la cara, miente con la voz; no miente con el cuerpo desnudo, miente con el cuerpo vestido: miente con el alma. Porque no miente el hombre con su cara en la vida cuando de veras da la

119

cara a la vida. No miente, porque la mejor máscara del hombre es su propia cara, su mismo rostro, como pensaba Nietzsche. La verdad del hombre es su desnudo aburrimiento y no su vestida diversión. Sus trajes, sus vestidos, sus hábitos o costumbres, su costumbrismo: en una palabra, sus morales o su moral, son mentira, son trágicas mentiras mortales. La verdad de la novela es dársenos religiosamente desnuda, con su propia, viva, animada cara aparencial, sin máscaras de otra, sin el antifaz picaresco de la moral. La novela miente cuando se disfraza de novela, cuando se enmascara de moral.

Y esta corrupción de la novela se reduce, en último término, a una forma más de la corrupción del hombre por la ciencia: por la hipocresía de la ciencia. La moral, como ciencia del bien y del mal, es mala, sobre todo, por ser ciencia, o por quererlo ser: por pretender hipócritamente a la sabiduría, a la cordura; si no, no lo sería. La corrupción de la novela por la moral es una forma, nada más que una forma, de la corrupción de la novela por la ciencia. Y hay otras más. Antes hemos señalado otras dos: la de la psicología y la de la historia.

EL REVES DEL MUNDO

El psicologismo en la novela se genera también por el costumbrismo, por la moral. Es como un costumbrismo al revés, como un costumbrismo invertido. Es el mundo al revés. La novela al revés. El rábano por las hojas. Yo no sé si toda la psicología es una ciencia, un conocimiento científico que consiste en eso precisamente: en tomar el rábano por las hojas. Lo que sé es que en la novela degenerada, corrompida por el psicologismo, sucede así. No puedo detenerme en ello. Voy solamente a señalar, como muestra, a la novela stendhaliana. Recordemos la *Cartuja de Parma*. Recordemos la descripción famosa, al principio de la novela, de la batalla de Waterloo. El famoso testimonio presencial. Pues bien; veamos, sinceramente, si lo que nos ofrece el novelista no son hojas de rábano. Recordemos el libro famoso sobre *El Amor*. Si tuvimos la paciencia de leerle — que hace falta, y mucha —, digamos si esa espesa floresta anecdótica e insoportable no es, también, una floresta, un inmenso bosque de hojas de rábano. Toda la hojarasca del psicologismo novelero florece en el alma de Fabricio del Dongo y de Julián Sorel. Como en los Adolfo, los Dominique y los Amaury, todos más o menos Adolfos de un recortado laberinto de mirto como el que dijimos del jardín de la Princesa de Clèves, de mirto ya seco, mustiado. Werther, René, Obermann tenían alma, por muy fantasmas del amor que pudieran ser. El personaje de la novela psicológica no la tiene; no suele

121

tener alma: porque tiene psicología. Tiene psicología en lugar de alma. Esto puede comprobarse mejor en los malos novelistas psicológicos, en los novelistas, no ya corrompidos, sino fracasados: en los mediocres. Por ejemplo, en nuestro Valera o en Paul Bourget. En estas caricaturescas versiones del psicologismo novelístico, se comprueba el daño mortal que atacó a la novela por esta enfermedad. ¿Puede nadie creer verdaderamente que Pepita Jiménez sea una mujer y un alma de mujer? A mí me parece una hoja de rábano: y una hoja seca, muerta; tan podrida, que ya ni la sutilísima inervación de su esqueleto conserva claridad para conmovernos; apenas el olorcillo penetrante, como de ácido fénico, que despide al arrastrarla el viento por el suelo en la otoñada postromántica en que murió.

El ilusionismo psicológico de la novela nos salta a la vista como el brillo de una red de pescar al sol de la playa. Y al monstruo de la novelería no se le aprisiona en un laberinto tan débil: o no entra, o lo rompe si se logra pescar con él. Fue este impresionismo psicológico una viva ilusión tramposa: un milagro diabólico. En definitiva, como decimos, una consecuencia costumbrista del prejuicio moral. De la conjunción o identificación del moralista con el novelista, ya confesada por Laclos al buscar en el arte de la novela un fino instrumento para el conocimiento del hombre: más fino que la historia. Pero también historia; historia del alma del hombre por fuera: costumbrismo; historia del hombre por dentro: psicologismo. Y el alma no es historia; es memoria. Hacer memoria, alma, de la historia humana, es el arte de la historia — la novelería de la historia — tal como lo ha realizado, por ejemplo, Lytton Strachey. *Que se haya siquiera puesto en duda, nos dice el gran historiador novelero inglés, no ya discutido seriamente, el que la historia sea un arte, es indudablemente una de las más curiosas manifestaciones de la locura humana que conozco. ¿Qué podría ser si no? Pues es evidente que la historia no es una mera acumulación de hechos, sino su relato, su narración. Los hechos del pasado, si se reúnen sin arte, no son más que compilaciones y compilaciones, muy útiles sin duda, pero que no for-*

man historia, que no son historia, del mismo modo que un poco de manteca, unos huevos, algo de lechuga y de perejil, no son una tortilla. Más extremado en su posición racionalista, había dicho el poeta Paul Valery: *la historia es el producto más peligroso que haya podido elaborarse por la química del intelecto. Sus propiedades son sobradamente conocidas. Hace soñar, emborracha a los pueblos; engendrando en ellos falsos recuerdos, exagera sus reacciones; encona sus antiguas llagas; los atormenta en su reposo, conduciéndolos al delirio de grandezas o al de la persecución; hace, en fin, a las naciones amargas, vanas e insoportables.* Palabras éstas verdaderamente proféticas. Ya había dicho Nietzsche que la lectura de los historiadores era la causa de todas las guerras modernas. Pero no voy a entrar, aunque roce el tema novelesco, en la famosa querella de los historiadores, entre los artistas y los científicos. De modo hegeliano cortaba por lo sano Croce la cuestión, diciendo que no hay verdadera historia que no sea contemporánea. O sea, como decíamos, que la historia es memoria, es alma. Este es el sentido de la afirmación griega de que la poesía es más verdadera que la historia: la poesía de la leyenda, de la tradición; pues esta poesía es siempre historia contemporánea; historia viva, porque es, en suma, alma, y alma popular. *La tradición* —afirmaba Chesterton— *es la democracia de los muertos.* Por eso, sin duda, los aristócratas de la tradición, los llamados tradicionalistas en la vida, se convierten tan fácilmente en merodeadores de tumbas, en ladrones de cementerio, en vividores de la muerte. Y no hay nada más repugnante a la inteligencia que este nocturno y alevoso afán sacrílego de los vivos escarbando como hienas en los sepulcros. *Dejad a los muertos que entierren a sus muertos,* nos dice, contra ellos, el Evangelio.

Pues la historia, como es proverbialmente sabido, y olvidado de puro sabido, no se repite. *La historia no se repite.* Por eso no se puede contar. La historia no es cuenta —ni cuento—. No es cuenta nuestra, es cuenta de Dios. Y puede que, también, cuento de Dios.

LA QUIMERA DE BALZAC

Esta otra red, más poderosa por más intrincada, por más firmemente apretada, de la historia, como memoria, de la historia contemporánea, ha servido de laberinto en que aprisionar, vivo, al enorme monstruo de la novelería, desde Balzac y Dickens, a los más grandes novelistas modernos: a un Tolstoi, un Flaubert, un Zola, un Galdós...

No puedo detenerme en ellos. Voy a exponer, como comprobante únicamente, el simple esquema sistemático que el gigantesco esfuerzo imaginativo de Balzac levantaba como andamiaje de toda la novelería moderna.

La novela, para Balzac, se genera en el tiempo como construcción laberíntica de la historia viva de los hombres: de sus costumbres, ante todo: de sus ideas sobre todo. Balzac llegó a dejarnos esbozada una novela cuyo título estupendo era éste: *La vida y aventuras de una idea.* Todo el inmenso mundo novelesco balzaciano, formado por más de noventa novelas, ordenadas en tres conjuntos ideales por su mismo autor: estudios de costumbres, estudios filosóficos, estudios analíticos, construyen ese universo ideal que puede llamarse totalmente: *la vida y aventuras de una idea.* Fue esta idea de Balzac verdaderamente diabólica. Por eso, aquel joven periodista inglés —Henry Reed— que, al visitarle, en 1835, le sugirió, probablemente, el título totalizador de *La comedia humana,* se decía para sus adentros que era aquella idea de Balzac: *tutta diabolica*, y la llamaba para sí: *la comedia diabólica del Señor Balzac.*

En 1842, al prologar con el título de *la comedia humana* el primer conjunto de su publicación, escribió Balzac: *La primera idea de la comedia humana me vino primero como un sueño, como uno de esos proyectos imposibles que se acarician, y luego se dejan escapar: una quimera sonriente que muestra su rostro de mujer para abrir las alas en seguida y escapar volando a los más fantásticos cielos. Mas esta quimera, como muchas quimeras, se hizo realidad y llegó a imponérseme con una tiranía a la que no tuve más remedio que ceder.*

Y esta idea, esta quimérica idea, nos dice Balzac que le vino de la comparación entre la humanidad y la animalidad. Inmediatamente nos confiesa su adhesión científica a las teorías de Geoffroy de Saint-Hilaire contra Cuvier, vencedor, nos dice, de Cuvier, y exaltado por Goethe. —También Goethe, como sabemos, se sintió, entonces, alcanzado en su corazón por la célebre querella científica. —*El animal es un principio* —resume Balzac— *que toma su forma exterior, o para decirlo más exactamente, las diferencias de su forma, según el medio en el cual ha tenido que desarrollarse. No hay más que un animal del que el creador se sirvió como patrón de todos los animales. Las especies zoológicas han partido de aquellas diferencias, etc.*

El animal es un principio, luego el animal es una idea. De donde la idea puede resultar singularmente convertida en un animal, en un ser animal o animado. Así comprenderemos cómo una idea puede tener vida y aventuras para Balzac: vida y aventuras quiméricas; así comprenderemos cómo una quimera se realiza. El quimérico monstruo con rostro de mujer que miraba a Balzac sonriéndole, para escapársele volando a los más fantásticos cielos, se dejó alcanzar de la mano del novelista, de la poderosa mano del hombre que lo aprisionaba acariciándolo. Este quimérico animal, este huidero monstruo de la novelería balzaciana, monstruo vivo, se ha engendrado, ha nacido en esa especie de parque de aclimatación, de jardín zoológico, que el afán científico de Balzac le tenía preparado. Pero no por eso es menos vivo. El trozo de selva falsificado por tan científica preparación, para aclimatarle, tiene tierra, aire, árboles y cielos de veras. Y no por estar limitado en el encierro de su jaula, el monstruo vivo, la quimérica idea, por estar enjaulado con tan científica pretensión, deja de ofrecernos su vida en maravilloso espectáculo. El elefante del parque zoológico es un auténtico elefante, y el león un león, aunque hayan nacido y se hayan criado ya dentro de la jaula. Esto quiere decir que la novelería de Balzac no deja de ser un asombroso contenido novelesco, verdaderamente genial, aunque en él estos laberintos de sus novelas cuelguen, sobre lo alto del fuerte bastonaje de sus jaulas, unas etiquetas. — Cuentan de cierto ingenioso profesor español que solía decir que el único que no sabe qué es un crustáceo es el propio cangrejo. Todos conocemos cangrejos que no solamente ignoran que son crustáceos, sino que son cangrejos. A los políticos les sucede esto con harta y lamentable frecuencia. — Pues la quimera de Balzac, si no supo conocerse a sí misma, supo, en cambio, vivir. Por eso ignoraba que lo que la hacía existir verdaderamente eran sus fantásticos cielos: el sostén de sus alas, pues sus alas y no su rostro de mujer fueron su sustento en los aires: su fundamento verdadero. Lo que tuvo, sin saberlo, de poesía y no de artificio científico, de trampa diabólica, fue lo que mantuvo o realizó tan vivamente el mundo novelesco de *la comedia humana*.

La idea de Balzac *vivió*, en efecto, aventuras novelescas. Mas sucedió a tan sorprendente monstruo vivo, que fue por lo que tuvo de más vivo, por lo que tuvo de mujer (*animal sospechoso*, que diría Bocaccio) y no por lo que tuvo de quimera, por lo que se le entorpecieron a veces las alas, hasta caerse —hasta caer en la trampa diabólica de la moralidad: costumbrismo, psicologismo, historicismo: el barro, el limo romántico y naturalista de que procedía—. La ventura de esa viva aventura novelesca lleva para nosotros el más exacto nombre en aquella misma alusión con que

Balzac, inconscientemente, la designa, al decirnos que *la casuali-dad es el mejor novelista del mundo*. La ilusión de la casualidad es esta quimérica criatura. Casualidad es su más verdadero nombre. Pues este nombre de casualidad no lo llevó en vano. Ya que por pura, quimérica casualidad, salió Balzac ganancioso de su empeño, en vez de habernos perdido en él su magnífica novele-ría. *La casualidad* —dijo Anatole France—, *en definitiva, es Dios*. Y si no es Dios, diríamos, no puede ser otra cosa que el demonio. La casualidad, cuando es divina, se llama milagro. Cuando es científica, satánica, se llama trampa.

El costumbrista espejismo de la vida humana, el psicologista estudio o análisis de las motivaciones que entrañan la actividad social, el historicista propósito de desentrañar de todo ello la generación real de las ideas, he aquí los tres principios *científicos* del genial novelista Balzac. Fácilmente comprendemos hoy que con tan ridículas trampas diabólicas no se cazan monstruos novelescos. Pero su enumeración — que he copiado yo textualmente de sus etiquetas— nos señala muy claramente el origen de la generación y de la corrupción en el tiempo de este admirable mundo balzaciano: vivo mundo de la más auténtica novelería.

Ya por él, sin olvidar a Dickens, a quien sólo al paso recuerdo, se puede empezar a pensar que todo eso, todas esas novelas, son historias. No son historia, son historias. Ya nos aproximamos, con esto, al verdadero continente postromántico de la novelería. La realidad novelística de estos escritores confina ya con territorios auténticamente noveleros. Hay novela de Dickens o de Balzac que bien puede llamarse *cuento tártaro* cuando no *historia china*. Y el *cuento tártaro*, la *historia china*, como los mares de Tule, son confines definidores de la más pura novelería del mundo. Todo eso son historias, es verdad. —Cuentos tártaros. Historias chinas.— O sea, que ya se acabó aquello de la historia, *puramente científica*, de la psicología, del costumbrismo y de la moral. Ahora viene lo bueno. O, mejor, ahora vuelve. Y lo bueno fue que

127

un buen día, a un novelista ruso, extraño personaje, se le ocurrió la idea — digna de Balzac, por otra parte —, la quimérica idea de novelizar un *suceso,* lo que en lenguaje periodístico se llama así: *suceso.* Y ¡oh estupenda casualidad!, ¡oh monstruosa y benéfica quimera!, del *suceso* periodístico — como del *episodio* teatral había nacido la tragedia griega — del *suceso* nace, se engendra, se genera la más inquietante, dramática, auténtica realización de la novelería moderna: la novela de Dostoyewski.

EL MUNDO POR UN AGUJERO

El mundo de la novelería fraguado alrededor de un punto: el *suceso*, se va a construir de nuevo en el espacio, girando revolucionariamente sobre este diametral supuesto de su teatralidad, de su dramatismo, como *esfera del pensamiento:* mundo poético visto por una especie de agujero. La novela de Dostoyewski es, en principio, el mundo visto por un agujero. Un mundo visto de este modo. Lo que pasa es que este agujero toma proporciones dramáticas de telescopio. El suceso callejero se observa por el escritor, por el poeta, con la misma fantástica aproximación astronómica que los más remotos mundos estelares. Surge así la sorpresa ante el lector de encontrar un lunático mundo subterráneo ante un hecho humano cualquiera. Un crimen vulgar es el asunto de *Crimen y castigo,* y ya vemos qué enorme complejo de resonancias espirituales lo trascienden hasta ese otro crimen vulgar que es también el asunto de *Los hermanos Karamazov.*

Veamos, pues, lo que pasa en las novelas de Dostoyewski. Si es que pasa algo en ellas. Pues lo que pasa es que no pasa nada; que nunca *pasa* nada en una novela de este autor; porque en él, todo *queda;* o, dicho de otro modo, todo *sucede.* Se sucede, en el tiempo, de una manera visual, espacial; teatral, en suma: dramática.

Todo sucede y nada pasa en esta invención novelesca de Dostoyewski. Pero ¿por qué? ¿Qué es lo que pasa? ¿Qué es lo que

129

sucede? ¿No es lo mismo? Tal vez no sea lo mismo. No es lo mismo pasar que suceder.

Todo pasa, todo lo que pasa, todo lo que tiene o tuvo que pasar, pasa, para que Ivan Karamazov mate a su padre. Todo ha pasado, exactamente, como tenía que pasar, para que Ivn Karamazov matara a su padre. Y *sucede* que lo mata el criado. Nada pasaba, no había pasado nada, ni pasó, ni tenía que pasar, para que Raskolnicov matara a la vieja. Y *sucede* que, efectivamente, la mata. Este *suceso* o estos *sucesos* se dramatizan en cada libro de muy diverso modo. Pero coincidiendo en algo fundamental: en vincular su drama a una especie de espantosa quietud del suceso mismo: a la dramática permanencia de su imagen, presente a través de todo el libro, de toda la novela. Lo sucedido no pasará jamás. Está, por así decirlo, sucediendo constantemente, aunque invisible a nuestros ojos. Presente, clavado en la memoria; como inmovilizado en ella. Como paralizándola de espanto. Presente al corazón.

No es un artificio genial del novelista para conmovernos esta *sucesión* permanente de lo dramático, este desenvolvimiento como en capullo de la naturaleza dramática de su novela. No. Es más y es otra cosa. Es la determinación ineludible de la novela misma al engendrarse, como vemos, en un *suceso*. El novelista procede con obligada voluntad al cortar el tiempo en el espacio, de este modo visual, teatral, para localizar su drama: o sencillamente para enfocarlo, que es expresarlo, con precisión. Y era preciso que así fuera; y es preciso por ser así.

Lo que sí es arte en la novela de Dostoyewski, y arte verdaderamente genial, es haber vuelto a dramatizarla, a teatralizarla tan profundamente. Haber deducido de todos los mundos novelescos de la novelería romántica, o moderna, de toda la novelería del xix, esta inesperada y magnífica conclusión.

Lo que llamaríamos la revelación de la voz, del espíritu subterráneo, puede que no haya sido más que esto: el darse cuenta

130

Dostoyewski de la situación infra-teatral en que la novela se encontraba a consecuencia de sus desviaciones estéticas. Darse cuenta de que la resonancia de la voz la adquiría por el foso del escenario del teatro, donde por escotillón había caído, escamoteada por sus predecesores. Pues ¿qué había pasado? O, mejor, ¿qué había sucedido? Ya decimos que no es lo mismo pasar por suceder. ¿Qué pasa? ¿Qué sucede en este mundo novelesco de Dostoyewski?

PASAR Y SUCEDER

Cuando algo nos sucede en la vida —una desgracia o una ventura, un placer o un daño—, cuando algo *nos sucede, no sabemos lo que nos pasa.* Y es que nada *nos pasa;* precisamente porque algo *nos queda:* que es lo que *nos está sucediendo.* Lo que pasa, pasa, o lo que pasó, pasó —como diría algún personaje dramáticamente perogrullesco de Shakespeare —. Lo que sucede, queda. Y no pasará nunca. Es una superflua inquietud la del que no sabe, en la vida, lo que le pasa; pues si supiera que *todo le pasa* porque no *le sucede nada,* se aquietaría: se estaría quieto. Al que *pasa por todo,* no *le sucede nada,* en efecto. Es al que *se queda* al que todo *le sucede;* al que se está quieto; porque lo dramático del hombre es estarse quieto: es quedarse. Pues ¿qué es lo que *le pasa* al hombre? ¿Qué es lo que *le sucede?* No es lo mismo pasar que suceder. El tiempo no pasa por nosotros cuando algo *nos sucede:* entonces el tiempo nos traspasa de permanencia; nos sucede, en nosotros, a nosotros mismos. Lo que *le pasa* al hombre puede ser trágico, puede ser cómico: lo que *le sucede* es siempre dramático. Porque el drama humano no puede originarse episódicamente en el tiempo por un espacio inmóvil como la máscara, paralizado por la risa o por el llanto, sino en una sucesión temporal, en un espacio aparentemente aquietado por la sonrisa viva y enigmática del acto mismo que lo verifica en el tiempo: del *suceder.* El hombre nunca tiene la culpa de lo que *le pasa:* porque tiene siempre la culpa de lo que *le sucede.* En la tragedia o comedia griegas, por la máscara, el destino del hombre actúa sobre el hombre, desde fuera, como voluntad de los dioses. En el drama cristiano, al desenmascararse el destino, por el hombre, resulta lo verdaderamente dramático del hombre, que es no tener destino: tener libertad. El destino humano es para el cristiano la propia libertad del hombre. Y a este hombre que rige libremente su destino nada puede *pasarle,* sino *sucederle:* porque él ya no *pasa* por el mundo, sino que *se sucede* en él: el mundo es su herencia divina. Es una sucesión de amor. Una novelería permanente. *Yo me sucedo a mí mismo,* decía el amoroso, el novelero Lope. — Y así era, hombre nuevo, nuestro poeta, hombre de viva y permanente novelería. — La criatura humana es una divina sucesión amorosa en el mundo. *Todo pasará,* dice San Pablo, *y sólo quedará el amor.* Por eso el crimen, para el hombre, es romper esta sucesión amorosa: destruir la vida; lo cual no es romper el orden natural o artificial de una justicia humana, sino interceptar el camino, cortar el paso al amor divino, a la divina sucesión del amor, que es la propia vida del hombre; no es alterar el orden natural de la moral o de la justicia: es destruir el orden sobrenatural del amor; el orden de la caridad; la voluntad divina. Por eso el protagonista de la novela famosa de Dostoyewski se encierra en ese dramático laberinto de su propio ser, que le dramatiza en el tiempo por lo mismo que *le sucede* en él; que *le sucede* en él a sí mismo: y a él mismo solo, por la culpa, totalmente suya, de lo que *le sucede;* de lo que *le está sucediendo.* Que no es lo que *le pasa:* que es lo contrario, lo que nunca *le pasará,* como él quisiera para librarse de ese verdadero castigo, la conciencia dramática de *lo sucedido,* que es el *suceso* mismo. No hay conciencia sin culpa —he pensado y dicho otras veces—. La conciencia humana es un estado de culpa permanente. Eso que llaman conciencia tranquila yo no sé lo que es. La conciencia es intranquilidad o no es nada. El santo ya no tiene conciencia ninguna: lo que tiene es ciencia total: amorosa ciencia divina; la conciencia se la ha arrebatado el amor. Por Alioscha Karamazov nos abre Dostoyewski, sobre sus mundos tenebrosos, este luminoso horizonte.

EL ENGAÑO AL CORAZON

Decíamos de este mundo dramático del novelista ruso que se engendraba en el *suceso,* que enfocaba sobre la apariencia de un suceso vulgar, por ejemplo, un crimen, tan profunda atención examinadora, que alrededor de esta célula viva, aportada así como con un interés biológico — no olvidemos que el novelista viene, como él mismo nos dice, de Europa, y de la novela del xix, que es un europeo-ruso, según confesión propia — que sobre el suceso, alrededor de esa gestadora presencia, en un principio monstruosamente viva del *suceso,* se va construyendo todo el mundo de la novela, cuyo interés dramático crece en proporción con la complejidad de elementos que se le acumulan. Parece al lector que el novelista detiene al tiempo pasajero para fijarlo a su atención con la minuciosa exactitud de una observación microscópica, que al serlo, o mejor, por serlo, el novelista amplía, proyecta en tamaño muchísimo mayor: teatraliza a nuestros ojos. Ante la lente examinadora parece lo mismo un paisaje astral que un preparado anatómico. Es como cuando contemplamos en el cinematógrafo el proceso vegetal de una floración. Pues este mundo dramático no se nos ofrece o aparenta, como decíamos del de Cervantes, claramente a los ojos, por la mirada, apariencia pura del mundo, engaño a los ojos. El mundo de la novela de Dostoyewski tiene empeño oscuro, subterráneo, voz y espíritu subterráneos, porque quiere mostrarnos el secreto vivo de su propia raíz, o como si dijéramos, del ritmo dramático de su pulso. *El novelista debe permanecer en su novela,* nos dice, *invisible y omnisciente.* Esto es, entrar en el corazón de la novelería, operar en vivo sobre el laberinto arterial de su sangre, a riesgo de matarla. Es, verdaderamente, tentar a Dios. Pero el novelista triunfa de su arriesgado empeño. Y lo hace penetrando con decisión creadora en estos subterráneos que han de serle mina inagotable de auténtica invención novelesca. Y, al lograrlo, nos ha puesto en contacto con un mundo en el que realmente pulsamos el drama íntimo de nuestro mundo, de nuestro ser, por la sucesión del latido del tiempo en nuestro corazón humano: que es la medida de nuestro ser vivo; el *invisible y omnisciente* latido de la sangre: el engaño al corazón. Engaño al corazón y no para el corazón, como decíamos del engaño cervantino: a los ojos y no para ellos. Engaño descubierto, revelado al corazón dramáticamente por el ritmo vivo de su pulso: engaño del espacio en el tiempo como engaño del tiempo en el espacio lo era el de *a los ojos* de Cervantes. Engaño y desengaño de la vida.

Por eso, en la novela de Cervantes se nos revelaba el dramático ser del hombre en el mundo como una permanente aventura de amor, y, según reza un título cervantino, como *laberinto de amor.* Cuando llega la muerte en él, viene *tan escondida, que no se siente venir:* se hace placentera, en efecto, a los ojos, por el amor, y al amor por su desengaño. Las muertes violentas que cruzan estas aventuras amorosas no hacen más que pasar por ellas; no suceden, sino que pasan, y pasan como por casualidad. Las cosas pueden pasarnos por casualidad, pero no sucedernos. Pues habría que decir todo lo contrario de Balzac: que la casualidad es el peor novelista del mundo. Porque la casualidad, en definitiva, no es nunca Dios. Por el *suceso* dramático de la muerte, en las novelas de Dostoyewski, la muerte *no pasa, se queda:* porque todo sucede o se sucede por ella misma; y toda la novela, todas las novelas de este mundo, todos estos mundos de novela, engendrados en un *suceso* de muerte, tienen esta revelación humana del mundo, como novela o aventura de la muerte. Y era natural que así fuese, pues el engaño subterráneo manifiesto en su propia raíz oculta, en la honda mina de su fluir vivo de lo temporal, tuvo que hacerse de este modo para manifestarse de veras: cortando el fluir mismo de la vida, paralizándolo mortalmente; partiendo de su profundo ritmo sangriento; partiéndolo, cortándolo, interrumpiéndolo. Así estas novelas se originan por el escándalo de la muerte. Y la muerte en ellas es un crimen: la mala muerte. Es el engaño al corazón por la *parada* de la muerte.

El latido del corazón del hombre mide, cuenta realmente al hombre ese cuento de nunca acabar que es su permanente novelería. El *invisible y omnisciente* poder hacerse nuevo siempre, haciéndose de nuevas. Cuando se rompe el hilo, cuando se interrumpe vertiéndola, la sangre que lo expresa — la sangre creadora de esos mundos y creadora en obra permanente, revolucionaria, reveladora del amor — el desengaño dramático de la extravagancia del crimen, como el desengaño dramático de la extravagancia de la locura, nos salta a la vista, a los ojos, o nos llega al corazón, hasta el corazón, con idéntico mensaje divino: *no juzguéis,* es decir, no acabéis nunca de ser permanentemente nuevos; no acabéis con vosotros mismos, no os suicidéis, ni hagáis suicidarse a ninguno; pues por eso nos dice San Pablo, comentando la palabra evangélica, que no solamente se prohíbe al hombre en ella el juzgar a otro sino hasta el juzgarse a sí mismo. El hombre y su novela, esto es, su mundo, escapan a nuestro juicio. Y esto fácilmente se comprende que era inevitable consecuencia de la superación de la moral por el amor, por la religión del amor, que es el cristianismo. Religioso y cristiano, como el de Cervantes, es el punto de vista novelesco de Dostoyewski. Aunque en Dostoyewski tuviera que manifestarse el amor, no afirmativamente, como en el claro mundo cervantino, sino por la negación del amor, por el crimen que lo interrumpe, por el *suceso* que lo paraliza: por la muerte; y no por el acto o sucesión de actos que lo mantiene, continuándolo, que lo verifica: por la vida. La verificación del amor en estas novelas del ruso, en este mundo novelesco, se hace reveladora por todo lo contrario del claro darse a luz cervantino: por un turbio darse a la oscuridad, a la sombría y oculta, subterránea entraña de su gestación primitiva. La sangre sólo se enrojece al aire, a la luz, cuando, viva, se vierte, se sale de su oscuro, laberíntico mundo propio. Engaña a los ojos de este modo. Mas para engañar al corazón le basta con golpearnos, invisible, oscuramente en el oído; le basta con precipitarnos su latido en el pecho.

DON QUIJOTE A LAS PUERTAS DEL INFIERNO

Algunas veces he pensado, y no por participar en el truco de los pirandelistas —del mismo Unamuno en su *Vida de Don Quijote y Sancho*— si pudiéramos seguir a Don Quijote, con el pensamiento, hasta los mismísimos infiernos. Y he recordado entonces unas palabras inquietantes de la novelista alemana contemporánea Gertrude von le Fort, quien nos dice que el Infierno es el reino de la justicia: *la justicia está en el infierno, pues en el cielo está la gracia, y en la tierra la cruz.* Palabras turbadoras. El afán justiciero, burlado por Cervantes en Don Quijote, tal vez nos las aclare algo. Porque tal vez pensó Cervantes, que si la justicia pudiera reinar en este mundo tendríamos un mundo verdaderamente infernal. Cervantes tenía la religión de Cristo: el entendimiento de la caridad, la inteligencia del amor. Como Dante. Pues si Don Alonso Quijano *dio el alma a quien se la dio —el cual la tendrá en el cielo, y en su gloria—, el consuelo de su memoria* quijotesca ¿por dónde andará?

Yo quiero figurarme a este fantasmal Don Quijote, harto de académicas y estúpidas admiraciones impertinentes, solicitando su entrada en el Infierno; o provocando a todos los demonios a una descomunal batalla para deshacer la justicia sobrenatural, como había desbaratado la de la tierra; que otra nueva experiencia de galeotes infernales no le arredraría. Vedle allí, plantado ante las puertas del Infierno, como ante la jaula de los leones. Pero estas puertas del Infierno ¿no se le abrirán? Para que no desaparezca nunca de nuestra memoria, de nuestro amoroso culto órfico, deshaciéndosenos, como Eurídice, entre las sombras, Don Quijote tiene que continuar en el mundo como lo que es, o como quien es: la novela en persona; la máscara y la voz del mundo; su extravagancia y desengaño, imperecederos. Y las puertas del Infierno no prevalecerán contra él.

Las cuatro esquinas del sueño

¿Qué es la vida? Un frenesí.
¿Qué es la vida? Una ilusión,
una sombra, una ficción.
....
Que toda la vida es sueño.

CALDERÓN

ESPAÑA PEREGRINA

Escribe Calderón *La vida es sueño* cuando ya había declinado hacia su ocaso definitivo el imperialismo español: *¿frenesí, ilusión, sombra, ficción y sueño?* Sueño es toda la vida, o se le hacía toda aquella vida española al poeta: y el sueño, sueño; o los sueños, sueños. El ser o hacerse sueño la vida, ¿nos hizo un despertar de la muerte? "En el sueño de la muerte", nos dice el poeta que nos despertamos del sueño de vivir. ¿En el sueño de la muerte se despertó España al ver desvanecido su sueño imperial de este mundo como ficción y como sombra, como ilusión y frenesí mortales? ¿Pues no anduvo jugando a estas cuatro esquinas del soñar su propia vida con la muerte? ¿Y qué fue esta vida, este sueño?

FRENESI

Cuando el empeño imperial de Carlos V lleva a los españoles por el mundo, ¿qué puede decirse que es España? Apenas si entonces, como siglos más tarde, no hubiera tropezado con una tumba ("¿no hay un puñado de tierra sin una tumba española?") el poeta que hubiera preguntado, románticamente, dónde estaba España. España estaba fuera de sí, en todas partes del mundo y en ninguna. ¿Frenética? ¿Desenfrenada? ¿Era un frenesí y un desenfreno su voluntad imperante? ¿Se consultó a los españoles

143

esa voluntad de tan frenética y desenfrenada aventura? El decir popular nos responde: "España, mi natura; Italia, mi ventura; y Flandes, mi sepultura". Si buscábamos el genio y la figura que dieron en la sepultura con los huesos mortales de ese sueño, de ese frenesí imperial, de esa aventura de dominación española en el mundo, este dicho popular nos lo expresa adecuadamente. Al frenesí inicial, que es como la naturaleza misma de los españoles, su genio, responde la ilusión de su dominación en Italia: su ventura; y los dos se funden en esa figuración, en ese sueño, del que podemos todavía paladear el sabor, la emotividad, en la prosa de Boscán, al traducir éste *El Cortesano* de Castiglione, reintegrándolo ilusoriamente al espíritu o frenesí español de que naciera: España, su genio, su natura. También en el verso melodioso de Garcilaso. Y todavía tanto o más en la música de los sermones de don Antonio de Guevara. Como en el poderoso pensamiento de los *Diálogos* de Juan y Alfonso de Valdés.

Mas, entonces, este mismo frenesí español dividía su ímpetu entre esas ilusiones de imperio y las realidades de la conquista de América. Imperio y Conquista se separan como dos vertientes de una misma voluntad española de realidad y de sueño. Y esta realidad, estas realidades conquistadoras, fueron desangrando, poco a poco, aquellas ilusiones imperialistas. Fueron éstas, desilusiones, dolidas prendas que apenas dejaron despojo en nuestra memoria española. Sorprende encontrar tan pocos restos en la imaginación popular de exaltación de tantas hazañas. Por el contrario, se abre inmensamente en tristes espacios de desolación y desconsuelo la misma fantasía soñadora de esas proezas. Los poetas que las hicieron y celebraron vuelven pronto aquella ilusión en ficción sombría. Ilusiones perdidas. Juguetes del viento de Castilla, que, aventando sus leves cenizas, dejó sin vida su rescoldo. Suena frío, por eso, el acento imperial en las voces de aquellos capitanes famosos cuyos versos se paralizaron como por espanto de tanta grandeza vacía. "Un Monarca, un Imperio y una España" quedaron enterrados, emparedados, sepultados en vida para siempre, en el Monasterio de Yuste, y, en muerte, en el de El Escorial.

Desalentados del generador frenesí que los animara aparentemente de ilusión y ficción mortales. Sombrío sueño de cuyo despertar
desengañado el propio Francisco de Aldana, compañero de heroicos hechos, por su canto, del sin par Hernando de Acuña, soldado de las mismas gloriosas campañas, nos dirá, volviéndose a la
contemplación divina, la vanidad de su mortal empeño. Y el magnífico Rey de Artieda nos resumirá definitivamente aquel estado
de desilusión, de desengaño, con su famosísimo soneto del soldado centinela que, soñando grandezas imposibles, despierta de ellas
cuando le relevan, como España misma:

> Con esto se acabó de hacer la posta
> y hallóse en cuerpo con la pica al hombro.

Pues el sargento mayor Antonio Vázquez nos dirá mejor todavía
el sentir desilusionado, desengañado, de la tal milicia: denuncian-
do sus pretensiones fallidas en otro soneto, mejor si cabe que el
de Artieda, y profecía próxima de los de Quevedo. He aquí su
texto:

> Cruzar caminos, enfadar naciones,
> mudar de camas, vinos diferentes,
> aires fríos, templados y calientes,
> costumbres varias, varias opiniones.

> Desquijarar serpientes y leones
> (que es domar unas gentes y otras gentes),
> rompiendo siempre por inconvenientes,
> y siempre esclavos de las sinrazones.

> Os darán diez escudos de ventaja
> pagados por la mano de un verdugo,
> enemigo mortal del trato humano.

Y a largos años, cuando al cielo plugo
que veáis parte dellos en la mano,
serán para comprar una mortaja.

Terrible testimonio acusador el de este epigramático soneto, sobre todo en sus tercetos finales. ¿A dónde llegó aquel frenesí natural de los españoles sino a despertarles "en el seno de la muerte", imperativo totalizador de su sueño?

Busquemos ahora su encendida brasa en otra esquina de ese soñador pensamiento; en la ilusión misma que lo sustentaba, al parecer, de viva realidad aventurera y venturosa; en la figuración humana de su genio.

ILUSION

Pues aquí tenemos a Cervantes, soldado también de aquellas venturosas hazañas imperiales y melancólico capitán, como su desbaratado Don Quijote, de tan mortales desilusiones y desengaños. "De ilusiones se vive — escribí una vez — cuando no se vive de verdad; cuando se vive de verdad, de ilusiones se muere." De ilusiones quiso vivir aquella aventura cortesana del imperialismo español, hasta que la verdad caballeresca de otros empeños más aventurados, los de la conquista, la fueron, poco a poco, con sus propias ilusiones, matándola. Fue la ilusión imperialista, decíamos, una aventura cortesana: "Italia, su ventura". Fue una especie de frenesí cultural y deportivo, en su origen, de los cortesanos de Carlos V. Cosa de soldados y poetas enamorados de la Italia renacentista: por ilusoria. La Italia de todos y de nadie. Por eso vemos tan claramente cumplirse a través de la obra cervantina su ilusión y su desencanto. Dando la vuelta desde Italia, inicia su torpe escribir en castellano el poeta de las *Novelas Ejemplares*. Hasta que de aquella misma torpeza, vencida en el aprendizaje imitativo de Sannazzaro, surge el prodigio plástico de un estilo que no tendrá igual en España. Se viste a la italiana Cervantes

hasta para descubrir en sí mismo la ilusoria verdad de sus ata-
víos. Y así verifica paso a paso la desilusión venturosa que culmi-
nará, por la veracidad de su burla, en el *Don Quijote*. Lo que en
el libro magistral de Cervantes se deshace, no es la ilusión de
la cristiana caballería andante, sino aquella otra, aquellas otras
ilusiones en que había buscado su ventura la cortesanía imperante de los Césares, postizos en nuestra popular España. *El Quijote* es una réplica al *Cortesano*. Don Quijote vuelve a la conciencia española la imagen verdadera de sí misma contra aquella tan
trastornada por el desenfreno de las ilusiones de la cortesanía imperial: "en vanidad y en sueño sepultada".

Ilusión y desilusión ritman el pulso de esta triste figura quijotesca cuya sombra proyecta hacia el lejano continente americano,
recién descubierto, la última empresa cristiana y caballeresca de
Europa. Sombra del Caballero medieval, del Monje-soldado, cuyo
empeño romperá su ímpetu contra el mundo tan vanamente como
el del mismísimo Don Quijote, prendido, al finalizar sus locuras,
en verdes redes de esperanzas, también ilusorias: "¿Serán para
comprar una mortaja?"

Imperio y Conquista doraron de apariencia vana dos siglos españoles cuyo brillo se apaga misteriosamente en la sombra. Pues
mientras unos viejos oros se deslucían al reflejo de otros nuevos
y relucientes, iba desluciéndose de aparente lumbre el espejo de
tales destellos, cambiando tan lucidas galas y vanagloriosos oro-
peles por la lucidez de la verdad que ponía a tan refulgentes resplandores, oscuros márgenes de sombra. "En todo hay cierta, inevitable muerte", nos dice el desilusionado quijotismo cervantino;
y deja paso de este modo desengañado, desencantado, a la luminosa ficción de Lope, a la sombría crítica de Quevedo: a la claros-
cura voluntad de sueño de Calderón.

Bajo una mala capa senequista, túnica hecha trizas, o, mejor,
hecha trazas de cristiana pordiosería — "hombre pobre, todo es

trazas" y ¡todo sea por Dios! —, se cobijó, desengañado de vanas grandezas pasadas, la sombra estoico-cristiana de Quevedo. Mendigando desilusiones sombrías.

"¡Sueño de una sombra el hombre!", clama Píndaro en lengua española de Unamuno. Y sombra de un sueño: sombra de una sombra. "Que con sombras hurtó su luz el día", nos dirá Quevedo al mirar "ya desmoronados" los muros de la patria que el empeño frenético de los españoles había levantado en el aire, a los aires de la aventura imperial y conquistadora. Pasados los siglos, el romántico Bécquer, melancólico buceador de tales ruinas, nos trajo de esa misma palabra española "cadencias que el aire dilata en las sombras". Sombras de un porfiar hasta la muerte que engendraron entonces, al desdoro secular de aquellas Españas, místicos y pícaros, diestros en amor y teología; predicadores de moral y ascetismo; manteos picados y capas pardas de una misma sombra desengañada, bajo un mismo oscuro y cerrado cielo. Que en esa noche de tan malos tiempos españoles todos pardeaban de lo mismo. Picopardeando a la luna de la ilusión imperial perdida, a *trancos, alivios* y *crisis* de un común afán desesperado, que, vuelto de espaldas a sus mundos, trocaban en andanzas por otros, los Osuna, Molinos, Santa Teresa, Beato Avila, San Juan de la Cruz, Fray Juan de los Angeles... Mientras esas lenguas a lo divino ardían consumiendo y purificando con nuevo frenesí español su ilusión de sueño, su ficción terrenal y celeste, su buena ventura, otras, en la sombra, reavivaban su malaventurado desencanto. Y las malas lenguas de Celestinas, Serafines, Justinas, Hipólitas, Aldonzas y Teodoras o Gerardas, enseñaban a hablar verdaderamente en cristiano y en español a aquellos exangües donceles espectrales, últimos despojos humanos de la ilusión caballeresca: los Floriseles y Florindos, Florisandros, Lisuartes, Clasiseles o Palmerines. La única herencia y realidad del imperialismo en España fue esta descarada, descarnada y sombría, de un lenguaje vivo de lupanar: su gramática parda. "La verdad que adelgaza y no quiebra", según Quevedo. Místicos y pícaros coincidieron en ella, coincidiendo, por el mismo lenguaje, aunque con tonillo diferente, en pordiosear desengaños.

"No hay moneda que tan mal corra en el mundo como desengaños, ni quien tanto los haya menester como el hombre." Esto nos lo dice al comenzar su PASAJERO, libro tristemente revelador de aquella sombría España, el malhumorado humorista, el desdichadísimo y sombrío Suárez de Figueroa. El que llamó a Quevedo, por justa envidia, *antojioojo.* Pues ya sabemos de qué pie cojearon en España aquellos a quienes, como al poeta de los SUEÑOS, hasta los dedos se le antojaban huéspedes sombríos. Huéspedes de la sombra.

FICCION

La desilusión de las guerras imperiales, las ráfagas de la conquista, no alteraron la paz equilibrada, la calma, el sosiego de otros españoles que supieron utilizar la misma sombra de su desengaño para engendrar por ella luminosamente su esperanza. La palabra *sosiego* parece que fue importada a Italia por los españoles que la inventaron. Gracias a ella, los más inquietos e impacientes españoles, los más desasosegados y frenéticos, domaron su ilusión, su sueño, con ficciones prodigiosas. Fray Luis de León, Góngora, cada cual a su modo, y a sus modas, realizaron ese prodigio. Mientras el otro Fray Luis hacía discurrir la voz española popular divinamente, con sosegada urdidumbre de palabras maravillosas, espejando el misterio natural del mundo, el portento sobrenatural de los cielos. Y entretanto, el sosegado alambicar, quintaesenciar palabras, destilando las impurezas de tales misticismos y picardías, convertían a Gracián en maestro de ellas por excelencia, por aquilatarlas y alquitararlas exquisitamente, abstrayéndolas de manera tan vana como primorosa y ficticia.

Si el CORTESANO de Castiglione, reespañolizado por Boscán, abría al pensamiento español aquel sueño de figuración ilusoria, EL CRITICON vino a cerrarlo, a servirle de contrafigura de sombra.

Cuando las figuras, que otros tantos libros españoles inmortalizaron poéticamente, del *caballero,* el *pícaro,* el *pasajero,* se hacían empeños esquinados del mismo sueño, cosecha de esa misma siembra engañosa, el ámbito de la cortesanía, desilusionada de imperialismo, lo llena Cervantes con su ficción burlesca, manteniendo por tan armonioso equilibrio, la figura entristecida y disparatada de la caballería, entre lo humano y lo divino: el QUIJOTE. Y a este frenesí ilusionado, a esa ficción y sombra, responden las del *Pícaro,* que lo son, con el de Guzmán, Pablillos, Lazarillo, Estebanillo y todos los demás de su ralea o estirpe: las Celestinas y Gerardas, Justinas, Garduñas y Lozanas. Luego encontramos en el PASAJERO la sombría especulación de tales andanzas. Y como consecuencia de todas ellas: el CRITICON.

Con singular y sorprendente acierto, el novelista ruso Gorki nos señalaba en el QUIJOTE la definitiva expresión "sosegada" de aquel "humanismo armonioso" ("la personalidad armónica") que el sueño pitagórico renacentista había ordenado y concertado tan perfectamente. Por entonces, apenas si empezaba a ser una sombra de lo que era aquella "espaciosa y triste España" — de Fray Luis, de Santa Teresa, de Lope, peregrina de sí misma, como sus mejores poetas —. ¿Una España sola o una sola España? "¡Huideros! ¿Qué uno? ¿Qué no uno? ¡Sueño de una sombra el hombre!", clamaba pindáricamente nuestro otro Don Miguel. Pues este sueño de una sombra se hará verdadero fingimiento, espejo de figuración y ficción reales, por el escenario prodigioso del que hicieron, fabulosamente, con la magia de su palabra creadora, conciencia popular de España, Lope y Calderón: al sentar y asentar sus reales cóleras — su frenesí, su descomunal impaciencia, su desesperada esperanza — ante ese maravilloso retablo de los sueños. De los sueños que lo son de veras. Que en esa otra esquina del soñar, la del sueño del sueño, se prendieron divinamente tan claras luces.

A esas luces vemos y entendemos el pasado español; su sueño roto contra esas cuatro esquinas que lo inmortalizaron matándolo. *Frenesí, ilusión, sombra y ficción,* mortales: e inmortales; porque con ellas soñaron la vida los pueblos de España, sustentando en ellas su ansia de verdad, de justicia: su hambre y sed de esperanza.

Fue el juego quimérico del teatro español del xvii — de Lope a Calderón — conciencia clara de esas cuatro esquinas del soñar; su ámbito. Y cuando Calderón las define con sus propios nombres, sus luces de pasión y de burla: sus candelas. Sueño de lo pasado que no pasó y de lo venidero que tampoco pasará nunca. Porque es lo que vimos y vemos, invisiblemente, por la fe de la "que nació tanta esperanza": por la poesía. Lo que vivimos y morimos soñando.

HOMBRE ADENTRO

El soliloquio de Segismundo en *La vida es sueño* de Calderón nos puso delante de los ojos aquellas cuatro réplicas a la interrogante del vivir con que se respondía a sí mismo el desengañado interrogador, enunciándolas como cuatro verdades o esquinas que los cuatro muros de la prisión del sueño le ofrecían a su angustiado pensamiento. Si toda la vida es sueño, y los sueños lo son de veras, las cuatro paredes de ese soñar se le aparecían al triste Segismundo esquinándole el pensar y sentir la vida en cuatro palabras verificadoras de su sueño: *frenesí, ilusión, sombra y ficción* mortales. Fue el desdichado solitario a pedir un poco de lumbre con que caldear la frialdad y aspereza de su oscura cueva de cautivo a esas cuatro palabras esquinadas contra el sueño vivo de la muerte. Y los ecos distantes respondieron tan sólo a su triste voz

151

con otros ayes lastimeros de ajenos desengaños y desdichas como las suyas; aunque éstas vinieran acompañadas del acento dulce y lisonjero de una voz de mujer. Mas esa voz prolongada en cadencias insospechadas otras muchas que el tiempo pasado tenía escondidas en el mismo repliegue oscuro de esa esquinada prisión mortal del sueño. ¿Qué fue del frenesí, de la ilusión de tantos y tantos españoles, como la de este fingido Segismundo calderoniano, sino espejo de esa ficción viva de su deseo, sombra de una sombra? Lo que Calderón nos señala en esta fícticia figura, frenética e ilusionada, sombría imagen de su Segismundo, es al hombre mismo cuando vuelve hacia dentro su mirada, cerrados los ojos a la luminosa apariencia de su engaño, para buscar, a solas consigo, en la tiniebla de su ser, esa otra invisible verdad que le afirma dentro de sí como expresión veraz de sí mismo. ¿Y qué encontrará en este empeño de entrar o adentrarse en su ser, de ensimismarse de ese modo: un nuevo desengaño?

Este Segismundo de Calderón responde poniéndose fuera de sí, teatralizándose o escenificándose de esta manera, a la misma ansiedad, al mismo angustiado deseo que vinieron afirmando en nuestro pensamiento español otros poetas, heridos como Segismundo por ese mismo desengaño temporal de lo perecedero del mundo, de su apariencia vana, de su pasajera felicidad. El mismo Calderón nos lo repetirá con su Semíramis, aquella otra admirable creación figurativa de su ingenio, tan certeramente bautizada de *Hija del Aire*, "hija de su vanidad". En esta maravillosa comedia leemos aquellos versos:

> *¡Oh, monstruo de la Fortuna!*
> *¿Dónde vas sin luz ni aviso?*
> *Si el fin es morir, ¿por qué*
> *andas rodeando el camino?*

Siglos más tarde, como un eco romántico de ese maravilloso pensamiento de Calderón, nos sorprenderá leyendo el *Peer Gynt* del calderoniano Ibsen, una réplica parecida; que en el poeta noruego toma decisiones figurativas poéticamente envueltas en las nebulosas alucinaciones de su héroe. También Peer Gynt, con el sello de Dios, como Semíramis, en la frente, tropezará con ese *rodeo* que el poeta noruego personifica en la figura dramática del monstruoso *Boyg*, monstruo de la Fortuna como el que invisiblemente sale al paso de los personajes de Calderón. Hombre adentro, como tierra o mar, se perdía el calderoniano poeta romántico del Norte, en busca de lo mismo que nuestro Calderón buscaba: la verificación del hombre en el mundo. El teatro de Ibsen recoge en su seno, fabulosamente, como el de Calderón, un pensamiento cristiano, cuya paradójica contradicción viva atormenta a la conciencia humana desde que lo enunció dramáticamente la dialéctica de San Pablo. Y por eso, sobre esos dos teatros parece que flota como un mismo aliento sobrenatural de desesperada esperanza. El de Calderón viene a recoger en su cuenco o mano curvada, como un poco de agua para esa terrible sed de verdad, la experiencia española de dos siglos de desengaño victorioso. El de Ibsen parece recoger en ese mismo empeño otros dos siglos europeos de conciencia humana desengañada. Desengaños del mundo, desde luego. Pero ¿no cabrá también en el misterio con que se nimba de extraña luminosidad la figuración dramática de estos teatros, de esta poesía, como la interrogante amenazadora de otro desengaño más hondo, que no sé si me atrevería a llamar desengaño de Dios? Si es el torbellino del mundo (como con certera imagen dijo en su *Santo* Fogazzaro) el que lleva y arrastra en su rueda a rodeo, en su curva desesperada (¡oh, Monstruo de la Fortuna!) al ambicioso egoísta Peer Gynt, ¿no es el torbellino de Dios el que envuelve y hace perecer en su mortal alud de hielo al abrasado Brand? ¿No es uno y otro torbellino el que aniquila a la luminosa *hija del aire* de Calderón? ¿El mismo que derribó del caballo con el viento, hiriéndole los ojos para cegarlo, a San Pablo, el perseguidor perseguido?

Cuando nos adentramos por estos mares o tierras misteriosas que somos, mirándonos en esos espejos teatrales en que nuestro ensimismamiento se nos presenta fuera o enfurecido de esa manera, por esa poesía (teatros de Ibsen y Calderón), no podemos menos que reconocernos en esa imaginativa empresa sino tal cual somos o como queremos o no queremos ser. "Sé tú mismo" es el imperativo que opone Brand al "bástate a ti mismo" de Gynt. El uno es el imperativo del desinterés absoluto, de la generosidad total, del sacrificio; el otro es como la tabla de salvación de un egoísmo que no quiere perderse naufragando en ese piélago insondable de lo divino, del amor, de la caridad. ¿Vuelven sobre nuestra angustia presente su mirada esos quijotescos fantoches de Semíramis y Segismundos, esas criaturas encendidas de vanidad, empujadas por el viento, abrazadas al *bástate a ti mismo* ibseniano, para decirnos el trágico desengaño del mundo o para afirmarnos con ello otro desengaño mayor, que fuera un desengaño divino? Pues ¿y Brand o Peer Gynt, con su diferente lenguaje figurativo, no nos miran, no nos dicen lo mismo? Unos y otros, presos del monstruoso rodeo de la Fortuna, del torbellino de su rueda, se nos muestran, abriendo su ensimismamiento en tal manera enfurecido sobre la escena, sobre las tablas del teatro, que parecen a nuestra mirada juguetes de un idéntico viento de pasión racional: el que los expresa y determina como impulsados por ese mismo afán navegador del hombre adentro, de la verdad de la conciencia humana. Viven, nos dirá Calderón, "siguiendo el dictamen del aire que los dibuja". Y tan sutil dictaminador, por la palabra humana, los proyecta sobre ese bajel teatral, a bandazos escénicos y fabulosos, como imágenes vivas de ese prodigioso descubrimiento o invención que es el hombre invisible por tan maravillosa manera teatral visibilizado. El teatro es esta paradójica realidad poética que nos ofrece siempre fuera de sí lo que está más dentro del hombre. Todo teatro realiza poéticamente esta verificación del hombre adentro, esa especulación quimérica de la conciencia humana.

154

¿Hombre adentro? "Soñemos, alma, soñemos." Estos dos pensamientos cristianos, dramatizados y teatralizados —el de Calderón, el de Ibsen—, coinciden en una proyección de la conciencia del hombre como dueño de sus propios destinos personales, como libre de decidirlos por su voluntad propia. Son estos dos poetas, verdaderos poetas de nuestra libertad, libertadores de nuestro pensamiento. Sus fantásticas, fabulosas figuraciones escénicas, nos representan el hombre en "el teatro de la *suerte*", de la Fortuna, como *antípoda de sí mismo;* como dialéctico especulador de su ser, dramáticamente perdido en el laberinto del mundo, preso entre sus paredes de espejo, enredado en esos torbellinos de su mortal sueño, tejido de ilusión, frenesí, ficción y sombra. Para no adentrarse en su ser el hombre sigue la tentación de rodearlo. Boyg, el monstruo de la Fortuna ibseniano, acecha la voluntad libre de Peer Gynt haciéndole caer en esa red ilusoria para perderle. Y así marcha, *sin luz ni aviso*, rodeando el camino invisible de su propia muerte.

¿Hombre adentro? Cuando el hombre cierra los ojos a lo que le rodea lo hace para dormir o para soñar. Pero el sueño, ¿no le vuelve a sacar afuera, a enfurecerle de visión diferente, de distinta vida? ¿Cuál de esas dos vidas es sueño? ¿La del hombre fuera de sí, perdido en el torbellino del mundo, o la del hombre dentro de sí: la del hombre adentro, como mar, como tierra incógnita, perdiéndose, en definitiva, como fuera en el torbellino del mundo, dentro, adentro, en el torbellino de Dios? ¿De una y otra aventura sacó el hombre un parecido desengaño?

Antes que Calderón, otros poetas españoles habían sentido ese mismo deseo de adentrarse en sí o ensimismarse; pero no para quedarse ensimismados egoístamente, para *bastarse a sí mismos*, sino para todo lo contrario: para negarse y traspasarse a sí mismos, entregándose a Dios. Que el verdadero amor, la caridad bien entendida, escribí otras veces, empieza por uno mismo porque acaba con uno mismo.

A finales del siglo XVI se afianza en el pensamiento cristiano, con la Reforma o contra ella, esa extraña voluntad cristiana de ser, fuera de la razón porque obedece y cumple otra razón más honda, que es la aparente irracionalidad de la fe por la esperanza. *Sé tú mismo* es para la conciencia cristiana entrar o adentrarse humanamente, por Cristo, en lo divino, en Dios. El libro inmortal de Cervantes volcó en fabulosas palabras imaginativas, inmortalmente, ese pensamiento. Aquel pasaje del encuentro de Don Quijote con las figuras de los Santos, lo especifica y esclarece. *El Quijote* es la expresión total de ese pensamiento cristiano, de esa vida, de esa conciencia — verdadera pasión y burla del hombre invisible —. Pues Cervantes pone fuera de sí, en un libro o novela, que, por serlo, lo es teatral, escénico, dramático, el reflejo imaginativo de esa aventurera y venturosa empresa caballeresca del cristianismo temporal, que es la del ensimismamiento enfurecido: paradójico empeño del hombre adentro. Con razón se llamó al *Quijote,* hiperbólicamente, "el quinto Evangelio".

Mas de esta aventurera empresa de entrarse a adentrarse el hombre consigo, de enterarse de sí a modo de aventurero de sí mismo, fue otro poeta y aventurero español, contemporáneo de Cervantes, quien nos hizo primeramente declaración expresa y definida: el ya recordado, famoso capitán y poeta de la corte de los Césares españoles, Francisco de Aldana, a quien sus contemporáneos llamaron — y hoy vemos que con verdadera justicia, y justeza — el Divino.

La Epístola de Francisco de Aldana para Arias Montano, que precede en el tiempo a aquellas otras dos famosas del Anónimo sevillano, conocida por Epístola moral a Fabio, y de Quevedo al Conde-Duque de Olivares, tiene sobre éstas la superioridad, la doble verificación poética de su motivación afirmativa: pues busca el poeta —llamado, por eso, de sus contemporáneos, el Divino— no solamente su consuelo en la soledad y apartamiento del mundo, en su desengaño pasajero, sino en el empeño de adentrar-

156

se en sí, por esa soledad y desasimiento del *mundanal ruido*, para hacerse silencio acogedor, en el encuentro de su propia vanidad o vacío interno, con la música divina de los cielos. Esta *música celestial* no suena o resuena melodiosamente en los armoniosos tercetos españoles de esas otras dos Epístolas morales, del Anónimo sevillano y de Quevedo, porque en ellas el mismo empeño de adentrarse el hombre consigo no trasciende los límites circunstanciales de su definición moral, de ese callado imperativo ético de la conciencia que las determina; mientras que en esta otra Epístola de Aldana, su mística antecesora espiritual, se trasciende de nueva inspiración divina el mismo propósito inicial del apartamiento mundano. Huye del mundo este poeta, no tanto por desengaño de su derrota en él como, por el contrario, de la vanidad de sus victorias; y desilusionado de ellas, se lanza con el mismo ímpetu aventurero de nuevas conquistas a buscar otro mundo imperecedero. En ese empeño fabuloso tiende su voluntad más lejos que la de sus sucesores moralistas, y aún que la de la mística contemplación pitagórica y horaciana, de un Fray Luis de León o un Don Antonio de Guevara; pues, en éstos, su deseo se cumple tan sólo con aquel sosiego natural del contemplativo apartamiento de lo mundano para satisfacerse de la compenetración o comunión, silenciosa y solitaria, con las maravillas de la creación divina. Aldana pasa, traspasa ese propósito con el deseo de posesión real, por tales apariencias, de Dios mismo. En esto coincide con Osuna, Molinos, San Juan y Santa Teresa. Pero lo que le diferencia de ellos es que, al entregarse a esta nueva empresa de su voluntad conquistadora, no encuentra bastante rendida su propia voluntad a la necesaria involuntariedad de tal entrega, y detiene o distrae su decisión misma, enredándola en la misteriosa trama de su aparente sueño. Dudamos, ante tales afirmaciones maravillosas de su admirable Epístola, si el poeta no volverá a sentir hastío o desengaño de lo divino como lo había sentido de lo humano. Y pensamos entonces en aquel *antípoda de sí mismo* que se nos define en una estupenda estrofa calderoniana (que no recuerdo si es del mismo Calderón o de Mira de Amescua en

La rueda de la Fortuna), donde se nos expresa este encuentro del hombre consigo, en dramática oposición de sí mismo, identificado con el mundo que entonces era para los españoles su patria imperante:

> *Cuando la noche en su abismo*
> *cerrara el cielo español,*
> *durmiera yo, con el sol,*
> *antípoda de mí mismo.*

¿Y como el sol en esa imagen hermoseadora de su muerte, de su sueño, espera encontrar el poeta nueva resurrección y vida? Y ese *antípoda de sí mismo*, ¿fue el último hallazgo mortal, e inmortal, del español Aldana, doblemente engañado por el espejismo poético de lo humano y de lo divino? ¿Dejaremos en pie la interrogante que el claro capitán nos dejó clavada en el pensamiento con la admiración de su lectura, de las hazañas aventuradas de su vida, de la entereza moral que tuvo, en definitiva, para encararse con la voluntaria decisión de su muerte?

LAS INDIAS DE DIOS

Escribía Francisco de Aldana su Epístola para Arias Montano a finales del siglo XVI — 1577 —, fechándola, al terminarla, en Madrid, a siete de setiembre — setiembre, sin p — de mil y quinientos y setenta y siete:

> *"Nuestro Señor en ti su gracia siembre*
> *para coger la gloria que promete.*
> *De Madrid a los siete de setiembre,*
> *Mil y quinientos y setenta y siete."*

No eran, con esa fecha, amargas desilusiones de derrota las que dictaron al glorioso capitán español sus nobilísimas y generosas, sus veraces palabras desengañadas. Y al dirigirlas a quien fueron dirigidas ("a ti, que eres de mí lo que más vale", le dice el poeta al admirable Arias Montano), no expresa tampoco sino ese mismo deseo de precisar en su conciencia la razón y pasión de su mundano desengaño. Pues desengañado de victorias, decimos, que no ya de derrotas, se confiesa Aldana a sí mismo, diciéndose "desvalido y solo", como hombre "expuesto al duro hado"; y "al rigor descortés" del viento, "como hoja marchita". Su vida temporal, nos dice, es *trafago* — sin acento esdrújulo, palabra doblemente grave:

> *Yo soy un hombre desvalido y solo,*
> *expuesto al duro hado, cual marchita*
> *hoja al rigor del descortés Eolo.*

> *Mi vida temporal anda precita*
> *dentro el infierno del común trafago*
> *que siempre añade un mal y un bien nos quita.*

> *Oficio militar profeso y hago*
> *baja condenación de mi ventura*
> *que el alma dos infiernos da por pago.*

> *Los huesos y la sangre que natura*
> *me dio para vivir, no poca parte*
> *dellos, y della, he dado a la locura.*

Y tras este singular comienzo nos confiesa su decisión de ir a perderse del todo, para poder encontrarse del todo, en ese hombre adentro, en ese ensimismamiento interior, cuyo ilusorio velo de apariencia vana le hará encontrarse otra vez fuera — entusiasmado por enfurecido de ese modo — con Dios mismo.

Nadie mejor que Aldana nos ha definido ese hombre adentro, ese hombre interior, que, vuelto a sí y contra sí, se hace o rehace deshaciéndose de sí mismo:

> *que en el aire común vivo y respiro*
> *sin haber hecho más que andar haciendo*
> *yo mismo a mí, cruel, doblado tiro.*

Responde en Aldana la misma verdad cristianísima que Castillejo había formulado, desentrañándola del sentir popular, en la famosa estrofa lopista:

> *en la guerra que peleo,*
> *siendo mi ser contra sí,*
> *pues yo mismo me guerreo*
> *¡defiéndeme Dios de mí!*

Dios defendía a nuestro soldado y poeta deshaciéndole del engañoso rodeo de la fortuna, de su traicionero andarse rodeando, y haciéndole adquirir, de pronto, esa conciencia inmediata de su ser que le decidía a volverse a Dios por completo:

> *pienso torcer de la común carrera*
> *que sigue el vulgo y caminar derecho*
> *jornada de mi patria verdadera.*

Piensa el poeta torcer la rueda de su afortunado vivir, no andarse ya con más rodeos, y caminar derecho — caminar derecho como la dulce Solveig le pedía al engatusado rodeador Peer Gynt: — ¿jornada de su patria verdadera? La patria verdadera para éste, tan extraordinario, auténtico español, no es tierra ni cielo de este mundo, sino muy otra cosa, que es la que busca en Dios cuando empieza por entrar en sí. Y eso va a decírnoslo en otro terceto que no sólo es divino por su intención, sino, como pensaba Menéndez y Pelayo, también lo es por su dicción misma;

pues con tan graciosa y natural manera de decir, nunca se había encarado mejor el hombre consigo:

> *entrarme en el secreto de mi pecho*
> *y platicar en él mi interior hombre,*
> *do vá, do está, si vive o qué se ha hecho.*

¡Hombre adentro! ¿A dónde va ese hombre interior, ese íntimo y desconocido compañero, amigo o enemigo nuestro? *Si vive o qué se ha hecho,* pregunta, se pregunta, nos pregunta el poeta:

> *y porque vano error más no me asombre*
> *en algún alto y solitario nido*
> *pienso enterrar mi ser, mi vida y nombre.*

—¿Enterrarse en un nido? — ¿Piensa enterrar su ser aparencial en él, su parecido a ese otro ser invisible, interior, del que apenas sabe *si vive o qué se ha hecho?* Y eso por no asombrarse, hacerse sombra al uno con el otro, sombra el uno del otro. Pues "en algún alto y solitario nido" buscará refugio para tan misteriosa y disparatada empresa, de modo que pueda empezar por acomodarse en ella a sí mismo como si fuese otro:

> *Y como si no hubiera acá nacido*
> *estarme allá, cual eco, replicando*
> *al dulce son de Dios del alma oído.*

Este solo verso final, por su dicción y pensamiento, bastaría para justificar el sobrenombre de divino dado a Aldana por sus contemporáneos. El "dulce son de Dios del alma oído" le vuelve al poeta caracol sonoro: eco o repetición de la música celestial, resonante en su alma cuando ésta se ha quedado vacía de todo "mundanal ruido". Así, me diréis, hace Aldana lo mismo que Guevara y Fray Luis, o que San Juan de la Cruz y Santa Teresa: desasirse de todo y vivir sin vivir en él, adentrarse de tal modo en sí mismo que ese mismo ensimismamiento le enfurece para entusiasmarle o endiosarle, de nuevo, para asumirle en Dios:

> Y ¿qué debiera ser (bien contemplado)
> el alma sino un eco resonante...?

Ese eco, esa divina resonancia, hace que el *cavernoso y vacilante cuerpo* humano se vuelva, en *réplica de amores, al sobrenatural Narciso amante*. Los requisitos de esta contemplación divina nos los va diciendo el poeta en versos, cuya trasparencia y luminosidad no tiene igual, tal vez, en castellano. Y aquí es donde encontramos a ese hombre adentro, verdaderamente prolongado más allá de sí mismo, como una sorprendente tierra nueva, como un nuevo y prodigioso mar. Hombre adentro, decíamos, como mar, como tierra, vivo. Entre tierra y mar coloca el poeta su ventura para poder espejarla en ellos. No busca "monte excelso, soberano, de ventiscosa cumbre, de triplicada nieve", ni "menos profundo, oscuro, hundido valle — donde las aguas bajan despeñadas — por entre desigual, torcida calle" —; quiere esas "partes medias" de la tierra, "siempre fructuosa, siempre de nuevas flores esmaltada". Y también quiere, "entre otras cosas", descubrir, no lejos, "el alto mar con ondas bulliciosas":

> Dos elementos ver, uno movido
> del aéreo desdén, otro fijado
> sobre su mismo peso establecido;
> ver uno desigual, otro igualado;
> de mil colores éste, aquél mostrando
> el claro azul del cielo no añublado.

Maravillas del mar y el suelo cubren de su natural apariencia el empeño divino del contemplador, reflejándole a su Creador en ellas. Como imagen y figuración teatral, visible, de aquellas otras realidades a que llama el poeta, con certero tino, "las Indias de Dios":

¡Oh, grandes; oh, riquísimas conquistas
de las Indias de Dios, de aquel gran mundo
tan escondido a las mundanas vistas!

Mundo de reflejo, eco divino, de aquel otro, tan escondido al propio contemplar mundano. Pues ¿qué frenesí, qué ilusión, qué suave, sombrosa o asombrada ficción es ésta? ¿Está el hombre en ella soñando a Dios o Dios soñando al hombre? ¡Silencio!, nos dice el poeta, calladlo, para no perderlo; para no perder esta ventura a que nos llevó la aventura del hombre interior, de la conquista de ese reino, "de esas Indias de Dios", en el hombre; la aventura del hombre adentro. Silencio y sosiego para oír y ver, para sentir y contemplar tan maravillosa ventura:

Digo que puesta el alma en su sosiego
espere a Dios, cual ojo que cayendo
se va sabrosamente al sueño ciego;
que al que trabaja por quedar durmiendo
esa misma inquietud destrama el hilo
del sueño que se da no le pidiendo.

"¡El sueño que se da no le pidiendo!" Entrar, adentrarnos así en nosotros mismos, pero no por nosotros mismos, "cual ojo que cayendo — se va sabrosamente al sueño ciego" —. ¡Oh, divino decir y pensar divino! — ¿No será esto otro engaño de nuestro nuevo ser, de ese otro ser nacido de sus propios mundanos desengaños? Pues este sueño, ¿es ciego?; ¿o nos ciega para perdernos más en él?

Ha seguido el poeta, años después, su grave tráfago de vivir. Y ha encontrado fin a su vida de un modo más cercano al heroísmo estoico senequista de los españoles, que al de la santidad cristiana. No murió como un Santo, Francisco de Aldana, al lado del Rey Don Sebastián, donde le mandara Felipe II. Murió como un héroe; pero no tan sólo como un héroe militar, aparentemente consciente o inconsciente de ello, sino como un hombre que sabe, que espera que va a morir, y estoica, resignadamente, acepta la muerte, por deber moral, de ese modo. Otro nuevo ejemplo español nos ofrece este caso de esa doble faz del pensar y sentir la vida que en los españoles se ha señalado como estoico-cristiana. Y otra nueva inquietud nos vuelve "a destramar el hilo" de ese sueño del alma entre cuyas cuatro esquinas poéticas — *frenesí, ilusión, sombra y ficción* mortales— se nos había encuadrado, como entre cuatro paredes invisibles, aprisionando el pensamiento. Pues de aquellas conquistas de *las Indias de Dios,* ¿qué se hicieron? Otros nombres de otros conquistadores divinos vienen a nuestra mente para respondernos; aunque todas esas respuestas —las de San Juan de la Cruz, los Fray Luis, Santa Teresa, Osuna, Molinos, Fray Juan de los Angeles— prolongan su razón de ser y su sentido, su reflejo y su eco, más allá de la muerte. Entretanto, vimos morir a este decidido capitán y poeta de cara al mundo; respondiendo al imperativo moral de su conciencia, heroicamente; más, decimos, como estoico que como cristiano. Y para ese viaje terrenal no necesitaba aquellas místicas alforjas espirituales de la Epístola para Arias Montano; aquel alto nido de su solitario y disparatado sepulcro; aquellos melodiosos requisitos de la sosegada y desasida contemplación divina. Si hubo o no desengaño de Dios en este poeta para determinarle a aceptar de tan heroica manera la muerte, nos quedaremos sin saberlo. Pero esa final actitud de su vida nos la acerca, tal vez, más que su Epístola admirable, de aquellos otros dos desengañados del mundo que, en tercetos españoles epistolares, nos dejaron también escrita con su sangre la aventurada y venturosa andanza moral del *hombre adentro*: en su Epístola moral, el anónimo sevillano, y en la suya al Conde-Duque de Olivares, Quevedo. ¿Y no nos le acerca también ahora del vivo agonizar cristiano de Miguel de Unamuno y de la estoica resignación mortal de Antonio Machado?

Disparadero español

La más leve idea de Lope

LOPE SUELO Y VUELO DE ESPAÑA

> *"Será escándolo del aire."*
>
> CALDERÓN

Parece que el destino del escritor, del hombre de pluma, no es otro que dejarnos de su paso el rastro invisible de su vuelo. Pasar. Y pasar volando.

Se vuela bajo el cielo. Se vuela sobre el suelo. Se vuela entre el cielo y la tierra; entre ciclos y tierras. Entre cielos y tierras de España, tocando amorosamente en la tierra, siempre, antes de levantar el vuelo, tomándola sobre su pecho, sobre su corazón, como hace el pájaro mañanero, para volar más alto y más hondo en la altura, más luminosamente en los cielos: Lope, hombre de pluma, pasó volando por su tiempo, pasó todo su tiempo al vuelo; bajo el cielo, sobre el suelo de nuestra España.

¡Pasar el tiempo al vuelo o en un vuelo! ¡El tiempo que se pasa, que se nos va volando!

¿Pues qué es lo que nos queda?

¿Qué nos queda de Lope?

Nos queda de este vuelo y revuelo, de este revoloteo de palabras que soltó Lope por el aire, a los aires, *al aire de su vuelo,* el rastro invisible de su voz: su pensamiento, su poesía.

Levantó la pluma el vuelo,

y nos dejó, con el afán sorprendido de su partida, unas cuantas palabras en el aire. Podemos cogerlas con la mano: como un

169

montón de plumas. Que así como de la lectura del Dante, dijo Ortega y Gasset que guardábamos sólo en el recuerdo la impresión de que nos dejaba en la mano un montón de preciosa pedrería; de esta otra lectura de Lope, la impresión que nos queda, y que guardamos, es la de una riqueza más leve, más ingrávida; más fina y suave; más ligera y alada: el recuerdo de algo que nos huye y se nos escapa, como el pájaro, dejándonos en la mano tan sólo un montón de preciosas plumas.

> *Con sólo pluma nací*
> *como el ave, aunque hombre fui.*

¿Qué clase de pájaro será éste, el hombre de pluma que fue Lope?

¿Qué clase de pájaro fue nuestro poeta volandero que así pasó y traspasó su tiempo hasta nosotros, hasta llegar con su palabra, con su poesía, a alcanzar el nuestro?

¿Cómo pudo un hombre, pasajero, pasar y traspasar los tiempos con su voz, dejándonos, con ella, una obra y una vida que decimos inmortalizadas?

¿Qué nos queda de todo esto; de esta poesía y de esta vida tan distante y tan próxima a la vez, en el tiempo, de nosotros; de esta vida, como de esta poesía, que aleja y acerca, a la par, sus tiempos de los nuestros?

> *Tiempos de mudanzas llenos*
> *y de firmezas jamás.*

Los tiempos cambian. Las cosas pasan con el tiempo. Nosotros pasamos con ellas, pasando el tiempo, nuestro tiempo. ¿Lo pasamos o lo perdemos?

Hay en Burgos, a la puerta del cementerio viejo, una leyenda que reza de este modo:

"Medido está tu tiempo y presuroso vuela, ¡ay de ti, eternamente, si lo pierdes!"

Todos sabemos o creemos saber cómo se pierde el tiempo; cómo se pasa el tiempo. ¿Pero estamos seguros de saber cómo se mide o se nos mide? ¿Qué es contar el tiempo? ¿Es eso la Historia, nuestra historia?

Cuando decimos de algo que pasó a la Historia parece que expresamos con ello dos cosas diversas: una, la de que al hacerlo pasar, le reconocemos su inmortalidad, una inmortalidad escrita y, por así decirlo, literal o literaria; es como si extendiéramos formulariamente un acta de inmortalidad definitiva. La otra, es el deseo de quitarnos un peso de encima: "eso", decimos, "ya pasó a la Historia", como si dijéramos: que no se hable más de eso, que no nos molesten más con ello. Y es también, esto de pasar algo a la Historia de este modo tan literal, algo así como cuando apuntamos en un cuadernillo una seña o cifra que nos recuerde, en tiempo oportuno, cuando lo necesitemos, aquella cosa que por el momento no nos interesa ni importa.

De este modo, lo que nos interesa, lo que nos importa de la vida, no es lo que pasa o ha pasado a la Historia, lo que de ella pasamos a la Historia para no tener que pensar ya más en ello, sino todo lo contrario, lo que pasa a la Historia por nosotros, lo que a nosotros nos está pasando, historiándose en nuestra propia vida.

Pasar a la Historia es morirse. Cuando hemos pasado a la Historia es que nos hemos muerto. Y es curioso que siendo lo que más nos importa, cuando no lo único que nos importa, el vivir, le regalemos tan generosamente a los demás la inmortalidad literal o literaria de morirse, de pasar a la Historia, sencillamente para no tener que volver a ocuparnos ya más de ellos en la vida.

Pero, de cuando en cuando, de esta historia literal o literaria de la vida, con el pretexto cronológico de una coincidencia de tiempo en el espacio — del desarrollo lineal del tiempo en el espacio, que es lo que nos separa a un tiempo de otro, a unos tiempos de otros —, sacamos a lucir o relucir de nuevo, como del guardarropa histórico, algún antiguo nombre y con él, cuando con él perdura, un hombre y una vida. Y entonces es cuando sospecha-

171

mos esta gran verdad: que es la Historia la que pasa por nosotros, no nosotros por ella. La que nos pasa, nos traspasa de vida duradera, permanente. Lo que queda, y no lo que pasa de la historia humana, es lo que se escribe literariamente, literalmente, al pie de la letra de lo que pasa: el signo o cifra enumerativa de un recuerdo; un jeroglífico insignificante. Los historiadores pasan el tiempo descifrando o tratando de descifrar esos jeroglíficos insignificantes: es un modo como otro cualquiera, o acaso mejor que otro cualquiera, de perder el tiempo. Como el apuntar los recuerdos en un papel. Todo eso es letra muerta. Lo que pasa, lo que nos pasa, es otra cosa: es lo que nos queda sin quedarnos, el eco de una voz, el rastro invisible de un vuelo.

Y, sin embargo, el hombre de pluma — que también se llama impropiamente hombre de letras — es un hombre que escribe la historia y las historias de su vida; la historia y las historias de su tiempo, de sus tiempos. Y estas historias pasan: y acaban por hundirse en el olvido o por flotar, ingrávidas, en lo pasajero, sacando de su propia levedad la razón y el sentido de su permanencia.

Por eso no es lo mismo para nosotros decir hombre de letras que hombre de pluma. Es todo lo contrario. Aunque la pluma se nos haya convertido en acero, en el acero más expresivo y penetrante de nuestro pensamiento por la palabra. Porque esta pluma acerada nuestra — o pluma áurea — se mueve también en el aire, por el aire y para el aire, lo mismo que todas las plumas. En la palabra y por la palabra; o sea, en el espíritu. El hombre de pluma es hombre de palabras vivas y no de letras muertas. El hombre de pluma es el hombre de espíritu: el hombre de palabras vivas, pasajeras, volanderas; el poeta: el hombre de palabras en el aire.

Las palabras son aire y van al aire, como los suspiros, según Bécquer. Y en cada una de ellas, acaso, como de los suspiros creía la superstición medieval, se pierde una gota de sangre.

Lope, nuestro vitalísimo español, fue el poeta, el hombre de pluma por excelencia. O como diría Carlyle: "el héroe como hombre de pluma".

Aunque esto del héroe pudiera resultarnos sospechoso. A mí, particularmente, me lo resulta. Como también lo de grande hombre. El héroe, el grande hombre, no puede ser nunca el hombre de pluma porque el héroe, el grande hombre, es, a mi parecer, casi siempre, el hombre de plumero. Es el hombre al que se le ve el plumero desde que asoma por la vida, desde que aparece por la Historia. El plumero de la vanidad. Y se le ve el plumero como a los antiguos caballos de los coches de muerto, de las carrozas fúnebres, se les veía: porque lo llevan en la cabeza; porque se lo ponen en la cabeza como los caballos aquellos para arrastrar pomposamente tras sí, en definitiva, la carroza vacía, la solemnísima vanidad de su propia muerte. Y esto que digo de los héroes, de los grandes hombres, pudiera pensarse también de los grandes pueblos, de los pueblos heroicos.

Lope no fue un héroe ni un gran hombre de esos. Fue todo lo contrario. Fue, como decimos, sencillamente, un hombre ligero: y de los más ligeros, de los más leves; un verdadero hombre de pluma, como él se dijo.

Porque hay también hombres de plomo. Y también impropiamente tenidos algunos por heroicos. Pues también el hombre de plomo que verdaderamente lo es, es hombre de espíritu. Y no menos que el hombre alado. A éstos suele llamarse en la vida, en la Historia, hombres de acción. Y con verdad; pues los otros, los hombres de pluma, lo son de pasión únicamente; y por ello, escritores, poetas. Estos son, diríamos, los menos pesados que el aire; y aquéllos, los más. Pero unos y otros coinciden en el aire y por el aire. O sea, en espíritu y en verdad. En el espíritu de la verdad como en la verdad del espíritu. Esto es, que coinciden en un movimiento revolucionario, que les expresa por el aire, porque en el aire les sostiene. Son hombres, como si dijéramos, de revolución permanente. Como los astros. Son hombres motores y movidos, racionalmente, por el ímpetu revolucionario. Y con esto, recordaremos, al paso, como ejemplo claro para todos, por vivo y reciente, el de Trotski, gran revolucionario y gran escritor. Trotski se firmó un tiempo con el seudónimo de *Pluma*. Verdadero acierto; pues Trotski fue el hombre de pluma de la revolución rusa como Lenin el hombre de plomo. Trotski, el hombre de pasión revolucionaria; Lenin, el de acción. Por eso, uno y otro interpretaron la palabra de Marx sobre la revolución permanente, lo mismo, sólo que al revés. Trotski, hombre de pasión, propagando por la pluma un estado de revolución social permanente; Lenin, hombre de acción, realizando por el plomo la permanencia de la revolución social en un Estado.

Pero estoy hablando de revolución, olvidándome que no he dicho todavía que Lope fue un poeta revolucionario.

Lope fue un gran poeta revolucionario. Un gran poeta popular.

Con esto no descubro nada nuevo, son las dos características esenciales y más conocidas de su estilo.

Definiendo el teatro inventado por Lope, Menéndez y Pelayo lo caracterizaba de este modo, diciéndole: "Teatro español, independiente y revolucionario".

Lo que yo quisiera precisar es la relación que se establece entre estos términos, al añadirles aquella otra que se refiere a su popularidad.

¿Fue popular el teatro de Lope por ser tan españolamente o nacionalmente independiente y revolucionario? ¿O fue, por el contrario, nacionalmente independiente y revolucionario por ser tan popular?

Valdría la pena preguntarnos en qué consiste la popularidad de este teatro inventado por un hombre de pluma, por un escritor, por un poeta.

¿Qué es el pueblo para el teatro de Lope? ¿Es lo mismo que el público? ¿Es que no fue el pueblo presente en su público, el pueblo en persona, en persona de público, el que le obligó a Lope a realizar ese teatro revolucionario? Según él dijo, sí; aunque hombre de pluma, Lope lo dijera irónicamente en el lenguaje de los hombres de letras de su tiempo: diciendo que lo hacía para hacer justicia al gusto vulgar, que no era otro, en aquel caso, que la

174

voluntad popular: "la cólera de un español sentado", la cólera revolucionaria popular española.

> ...la cólera
> de un español sentado no se templa
> si no le representan en dos horas
> hasta el final juicio desde el Génesis.

Esta cólera, esta impaciencia, es como la del niño, como la de la infancia. Es el deseo, el ansia de vivir en el presente toda la vida, sin pasado y sin porvenir. "Toda la vida es un hora" —toda la vida es una hora, un ahora—, decía Lope. Se ha dicho que los niños no tienen más que presente, que la realidad de la vida para ellos consiste en eso, en actuarla de ese modo sin pasado y sin porvenir. En una palabra, en negar el tiempo. El niño vive la eternidad como la apariencia de los astros; el movimiento de la vida para él gira sobre sí mismo, es un movimiento vital de revolución, un movimiento racional, cósmico, sin evolución, sin progreso; un movimiento revolucionario permanente. El pueblo —que tal vez no sea otra cosa que una forma viva de expresión universal de la infancia, un estado plural de infancia—, el pueblo percibe la vida, se siente vivir a sí mismo de ese mismo modo infantil eterno, racional, cósmico; revolucionario permanente. Por eso, sin duda, nos sorprende tanto en los niños como en los pueblos, eso que llamamos *presencia de espíritu*. Su presencia de espíritu. Y es que, efectivamente, lo es; un estado de infancia o de popularidad es un estado de pura presencia de espíritu. Presencia del espíritu. Dios habla por los niños y por los pueblos. El evangelio de Cristo exige el ser o hacerse como los niños para la salvación eterna, para la vida perdurable: para esta revolucionaria presencia permanente del espíritu en nosotros, que es la vida espiritual, la vida religiosa. Y también en este sentido se esclarece la verdad secular, que nos dice que la voz del pueblo es voz de Dios. Y Dios tiene voz, pero no voto. Por eso los pueblos no hablan nunca más que revolucionariamente. Porque el espíritu, que es quien habla

175

por ellos, no es cosa de tiempo, de sucesión, de paso, sino de eternidad, de permanencia, de presencia; el espíritu no es evolución, es revolución.

Esta voz divina, infantil y popular fue la que nuestro Lope, hombre de pluma, en el aire y por el aire alcanzó a apresar en sus palabras y a expresar por ellas. Por eso en su teatro escuchamos esa infantil voz clara, limpia, que es la de la eterna popularidad española: la corriente viva del lenguaje popular español que transparenta, por su misma presencia de espíritu, una impaciente, colérica voluntad revolucionaria.

También, naturalmente, a Lope, hombre de pluma, se le reprochó todo esto por los hombres de letras de su tiempo, por aquellos que en su tiempo se decían defensores de la tradición y de lo que hoy se llama la causa del orden. Así le atacaron a Lope por revolucionario y analfabeto. Justamente. Porque esto de la popularidad y de la infancia, esto que decimos presencia de espíritu en los niños como en los pueblos, es, efectivamente, analfabetismo espiritual. Un niño deja de ser niño, por definición, cuando deja de ser analfabeto — dije alguna vez —. Como un pueblo. Los pueblos mueren cuando se alfabetizan, como los niños, es decir, cuando renuncian a la presencia del espíritu, al gusto presente de la vida, para aprender, en cambio, las letras, el orden sucesivo de las letras que es el progreso literal de la muerte. En una palabra, los pueblos se mueren como pueblos cuando renuncian a la revolución; al analfabetismo espiritual de la revolución; a su actualidad y a su permanencia. Los pueblos mueren cuando se entregan o someten al orden literal de la Historia, cuando pasan a la Historia en vez de hacerla o inventarla; en vez de hacer que la Historia pase por ellos, traspasándoles de duración, de eternidad; cuando se someten, como digo, a un orden alfabético temporal, sucesivo, progresivo, que los paraliza — que los corrompe con esa parálisis general progresiva del alfabetismo evolutivo —, cuando renuncian al orden vivo racional, espiritual, analfabeto, de la revolución: del movimiento revolucionario que es su espíritu.

Un pueblo, como un niño, por el hecho de ser, es ya un movimiento revolucionario que actúa, que permanece; es una viva revolución latente y presente, actual y actuante. Todo el que se dice a sí mismo contrarrevolucionario, todo el que se pone esa estúpida negación como una careta sobre el rostro, no engaña al pueblo. Ese que se dice contrarrevolucionario, enmascarando su propio vacío con la vaciedad paralítica de una tan vacía y hueca negación, es sencillamente un enemigo del pueblo que le tiene miedo y no se atreve a darle la cara.

Con el *coco* de la contrarrevolución — de las contrarrevoluciones — se trata de asustar al pueblo, como a un niño; y como a un niño, sin lograrlo, naturalmente. Cuando el pueblo está vivo. Por eso esos fantoches, esos espantapájaros de la contrarrevolución, que saben que no pueden quitarle al pueblo su revolución más que quitándole la vida (quitarle a un pueblo la revolución es quitarle la vida), intentan quitársela, en efecto, pero de un susto; intentan hacerlo por el miedo, por el terror. Y con esto son consecuentes, pues no tratan más que de dar lo que tienen: miedo. Pero no saben que su miedo a la revolución no es otra cosa más que miedo a las razones de la revolución: miedo a la libertad y miedo a la justicia; miedo a la inteligencia revolucionaria de los hombres de pluma, que viven para la libertad, o a la de los hombres de plomo que quieren vivir para la justicia.

La libertad y la justicia son los dos términos extremos que polarizan siempre todo movimiento revolucionario. Toda revolución viva o poética se verifica siempre por ellos. La libertad es cosa de pluma, cosa de plumas. Cosa de vuelo. La justicia, cosa de plomo; cosa de suelo; de aplomada rectitud hacia la tierra como la libertad lo es hacia el cielo. El hombre de pluma, por eso, como lo fue Lope, es siempre un revolucionario de la libertad. El hombre de plomo, como lo fue Lenin, lo es de la justicia; y hasta a fuerza de serlo tanto, a fuerza de mirar tanto hacia abajo, hacia el suelo, hacia la tierra que esa rectitud de su voluntad le reclama, acaba por parecer que se olvida de la libertad, que prescinde de ella. No debieran olvidar nunca, sin embargo, los

177

hombres de pluma, que toda justicia revolucionaria debe andarse con pies de plomo. Que también son de plomo los pies que pisan la uva viva para hacer libre el vino. A veces, los hombres de pluma —como lo fue Lope—, absortos en su vuelo, siguiendo rectamente la dirección de su profunda voluntad celeste, se suelen olvidar del suelo, de volver los ojos a la tierra: se suelen olvidar de la justicia.

Lope, suelo y vuelo de España, fue el poeta revolucionario de la libertad. Pero no se olvidaba de la justicia. Y no la traicionó jamás. Por eso luchaban contra él los hombres de letras de su tiempo: los que defendían un orden alfabético de la poesía. Lope, por el contrario, siguiendo la corriente viva del lenguaje popular, llegaba hasta su fuente o manadero, al manantial fluido y palpitante del espíritu, y defendía, por eso, un analfabetismo popular, un orden nuevo, orden del espíritu, una verdadera revolución. Y así, tan vivamente, revolucionó el teatro con la vida y su vida con el teatro, por la palabra, por la poesía, por el aire. Y así, vivificó revolucionariamente un orden nuevo de verdad.

Los hombres de letras, y toda clase de seudotradicionalistas de su tiempo, como los de todos los tiempos, se lo reprocharon. Se lo reprochan todavía. Porque para los hombres de letras o de letra muerta, el orden es eso, letra muerta, orden alfabético, mortal y literal: porque el orden es lo establecido, aunque esto sea el peor desorden de todos, el más injusto. El orden, para ellos, no es el orden multiforme de la vida, sino el uniforme, el desorden uniformado de la muerte.

Para los hombres de la letra muerta, digo, el orden es eso, letra muerta, letra que no espíritu: la causa del orden para ellos es la letra y no es el espíritu, es el alfabetismo mortal. El alfabetismo es siempre mortal. Desde la *a* hasta la *ceda*. Porque desde la *a* hasta la *ceda* las letras con sangre entran. Y como la letra entra con sangre, con la sangre de los demás, por eso la vierten sin reparo contra toda justicia y contra toda libertad. Olvidando siempre al hacerlo que es la sangre, la fuerza de la sangre, efusiva, la más lastimosa de todas; y la más poderosa: porque esta *fuerza las-*

timosa, como la llama Lope, la efusión de sangre vertida por la letra, es espíritu, y precisamente es el espíritu de la revolución. La voz del pueblo, que es la voz de Dios, enmudecida por orden literal y mortal, por el orden de la letra muerta, ya no habla, sino que grita, clama, por esa sangre, pidiendo por ella revolución, porque pide con ella libertad y justicia.

¡La causa del orden! ¡Pero si no hay más causa del orden que la revolución! La causa del orden es la revolución. Como en *Fuente Ovejuna* de Lope.

Esto, se dirá, es paradoja. ¡Pues claro que lo es! Pero hay que tener cuidado con el nombre. Paradoja, decía un poeta francés, es el nombre que le dan los tontos a la verdad. No conozco ni un solo tonto contrarrevolucionario español que no le llame paradojas a las verdades, cuando se le dicen de verdad. Es decir, cuando se las hace ver un hombre de pluma o cuando se las hace tragar un hombre de plomo.

Para nuestro Lope, como después para Víctor Hugo, el orden es analfabeto y revolucionario, porque es espiritual, el orden es espíritu vivo. Víctor Hugo llamó, revolucionariamente, a su poesía dramática, iniciada en esta otra nuestra, "teatro en libertad". En Víctor Hugo —también por ahora recordado conmemorativamente—, como en nuestro Lope, por la palabra, por la poesía, por la *pluma*, se abre Francia al soplo revolucionario del espíritu, que es la libertad: se abre a "los cuatro vientos del Espíritu". Que eso hizo con España Lope, nuestro gran poeta revolucionario nacional: abrirla, darla a luz, encenderla de libertad en sus tierras y en sus cielos. Abrirla y no cerrarla. Abrirla al viento del espíritu, a todos los vientos del espíritu, los altos y los bajos; al soplo suave de las brisas herméticas del alba en sus cielos como al dionisiaco afán terrestre del revolucionario vendaval.

Lope, abría España.

Lope, abre España.

(Hay ahora contrarrevolucionarios de esos que se dicen santiaguistas que vuelven a lo de quererla cerrar. Y juegan al "caballo blanco". —Quiero decir, a la Aduana—. ¡Y alientan de

179

grandezas pasadas, que nunca fueron tales, y hasta presumen de héroes!

¡Y se les ve el plumero! Sobre la cabeza. El plumero del caballo blanco santiaguista que tira de la regia carroza histórica de su solemnísimo funeral. ¡Más nos valiera que hubieran empezado por cerrar su ataúd para no inundarnos de gusanos la cosa pública! Aunque yo recuerdo, a propósito de gusanos, lo que me decía un aficionado a comerlos con queso: ¡que eso ensancha el alma! — ¡Ah, sí, vamos, le respondí, que eso de los gusanos es lo que se llama ensanchar la base del queso! Pues al pueblo, que no tiene el paladar tan estragado, no le gustan esos ensanchamientos putrefactos. No le gusta que los que se encargan, aunque sea por accidente, por puro y profesado accidentalismo, de gobernar o accidentar la cosa pública, se la den con queso y, además, con gusanos. Para gusanera, ya tuvo bastante con el pudridero real de la difunta monarquía borbónica; de aquella recomposición y descomposición, reconstitución o simulación, triste y grotesca. Porque ellos mueren — como dijo el profeta —, pero sus gusanos no mueren. *Vermis eorum non morietur*. Is.)

El teatro, la poesía de Lope, decíamos, nos abre España. Y de par en par, como una ventana. Lo que vemos, por ella, son tierras y cielos; el cielo y la tierra; cielo y suelo, encendidos, abrasados a veces por un sol de justicia, un sol que, como suele decirse, es un sol de plomo. Pero también vemos la serenidad de la estrellada: la viva presencia espiritual del movimiento revolucionario permanente de los astros.

Lope, suelo y vuelo de España, de la España que con él se abre a la luz, al viento, a toda la perturbadora inquietud espiritual, elemental, de la nueva vida; Lope, hombre de pluma, revolucionario de la libertad, poeta, por eso, del amor, de la fe, de la esperanza, fue poeta popular, y por serlo, con su vida y con su poesía, descubrió o inventó, creó un orden nuevo.

Y este orden que es el mismo de la creación, el del pensamiento, lo aprendió en el pueblo, y por el pueblo; en esa voz divina, analfabeta, espiritual, de la vida profunda y permanente de los pueblos que es su propio existir, el movimiento que los sostiene y los expresa, la consistencia del espíritu, la permanencia de la revolución.

Los pueblos, se ha dicho, nunca aprenden. Es verdad. Los pueblos no aprenden, enseñan. Como los niños. Y, como los niños, cuando aprenden, lo que aprenden, lo único que pueden aprender, es a dejar de serlo. A dejar de ser lo que son: a dejar de ser pueblos, a dejar de ser niños. Aprenden a envejecer y a morir. A esto le llaman educación política. A pudrirse. A morirse de asco. A obedecer, en definitiva, a esas dictaduras mortales de los tiempos, de todos los tiempos. A las dictaduras o dictablanduras de los gusanos.

¿Será tan pobre y triste el destino de España, nuestra España de Lope, que de ese modo envejezca y se muera? ¿Y el del pueblo, nuestro pueblo de Lope, el pueblo independiente y revolucionario español?

Durante el siglo xix se hizo por el pueblo, en España, la revolución de la pluma, de las plumas, la revolución de la libertad. ¿Por qué no ha de hacerse, en el nuestro, la del plomo, la de la justicia?

Pero volvamos o sigamos con nuestro Lope que entendió justa la libertad y libre la justicia porque lo aprendió de ese modo de aquella cólera española popular que revolucionariamente se lo exigía. Y porque aprendió, de ese modo, a crear un orden nuevo, aprendió que — como os decía — la revolución es precisamente la única causa, la única ley, el único origen legítimo de todo orden nuevo.

> *Yo escribo por el gusto que inventaron*
> *los que el vulgar aplauso pretendieron;*
> *porque como las paga el vulgo, es justo*
> *hablarle en necio para darle gusto.*

Porque considerando que la cólera
de un español sentado no se templa
si no le representan en dos horas
hasta el final juicio desde el Génesis;
yo hallo que si allí se ha de dar gusto,
con lo que se consigue es lo más justo.

He aquí unas afirmaciones aparentemente demagógicas.

¿Qué justicia es ésta que responde tan libremente a una voluntad caprichosa que, por añadidura, se nos dice necia y vulgar?

Nada más demagógico que esto, al parecer, pero nada más revolucionario, en realidad, que la sumisión de nuestro poeta a esa voluntad popular, tan caprichosamente revolucionaria, que en ella los términos de libertad y justicia no aparecen siquiera esclarecidos ni diferenciados del instinto. Del instinto vital; instinto que se irrita, que se impacienta, que se encoleriza porque quiere que "le representen en dos horas hasta el final juicio desde el Génesis"; es decir, porque quiere o lo quiere todo en un momento: y este momento es el presente, es siempre el momento presente. No quiere que haya otro.

No quiere perder tiempo este público español independiente y revolucionario de nuestro Lope. No quiere tampoco pasar el tiempo, ni acaso, siquiera, verlo pasar. Lo que quiere es que no haya tiempo. Lo que quiere es matar el tiempo. Quiere ser, quiere existir, quiere vivir eternamente. Quiere durar o perdurar: permanecer. Quiere, en definitiva, no morirse. Quiere que le cuenten el cuento de nunca acabar, como los niños: una vez y otra vez. Quiere las estrellas. Quiere la revolución permanente.

Por eso hay en el fondo de esta colérica voluntad de lo eterno, un suelo y un vuelo: una justicia y una libertad. Por eso encontró Lope en el fondo de esta hondísima razón de ser tan instintiva de su público, al pueblo en persona. Al pueblo en persona, porque el pueblo es persona y no cosa. El pueblo no es la masa. Cuando el pueblo se hace una masa deja de ser pueblo porque deja de ser persona para convertirse en cosa, en cosa inerte sin justicia, sin libertad. Que no hay cosa más fácil de manejar que una masa de ésas, que un pueblo confundido en masa. Es el secreto más tontamente maquiavélico de todas las actuales tiranías. En cambio, no hay nada más difícil o imposible que oponerse a la voluntad, a la santísima voluntad de un pueblo en persona, de un pueblo libre y justiciero.

Lope acertó a expresar esta personalidad dramática popular en su teatro, constantemente. Recuerdo otra vez *Fuente Ovejuna*, que es el drama del pueblo en persona y es el pueblo en persona dramática.

Por esto, la persona viva de Lope fue popular y revolucionaria, y es ejemplar para nosotros de un hombre libre, al ser hombre de pluma, porque su palabra — por su poesía, por su teatro — encarna y verifica esta voluntaria presencia y permanencia revolucionaria del espíritu, que es un pueblo en persona. Esta santísima voluntad divina que es el rastro invisible de la voz popular por su voz en nosotros todavía, al aire de su vuelo, sobre el suelo, bajo el cielo de su España: que es nuestra España. Una España nacionalmente popular porque el pueblo que decimos que es siempre presencia, permanencia — y por eso revolución y no evolución, espíritu y no letra — por ser presencia, siempre, nacional o naciente, renaciente, es apenas sombra de lo pasado, como el niño; porque es plenitud callada y entrañable de lo venidero; oscura promesa que romperá luminosamente lo porvenir.

Si Lope está vivo entre nosotros, es que el pueblo está vivo: y es que está viva en él aquella cólera, aquella impaciencia, aquel ímpetu, que movió revolucionariamente a nuestro poeta, que levantó su voz, como la pluma, el vuelo de su voz, a lo más alto, a lo más hondo, a lo más puro y luminoso, en el aire, a los aires de nuestra España.

¿Quién podrá — nos pregunta Lope — detener al ave el vuelo?

¿Quién discurriendo el velo
del aire, detener al ave el vuelo
con átomos de plomo salpicando
el manto azul con que topó volando?

Si he intentado descorrer apenas —discurriendo apenas, y a muy duras penas, por el aire o en el aire— ese "velo del aire" de nuestro Lope, no fue para intentar, es claro, "detener al ave el vuelo" —¡pues menudo pájaro fue Lope para eso!—, sino para señalar a vuestros ojos, sencillamente, su presencia en la altura: sobre el suelo, bajo el cielo de nuestra España. Para señalaros su vuelo con esta leve detonación de mi pensamiento, en mis palabras, con ese tiro al aire de mis palabras, "átomos de plomo" que casi ni salpican siquiera, imperceptibles, "el manto azul" con que nuestro poeta, como el ave, "topó volando". El manto azul del cielo de su libertad, de la libertad revolucionariamente justificada por ajustada al orden siempre nuevo del espíritu.

No quise, por eso, tomar de Lope más que lo que suele decirse una ligera idea, una leve idea —la más leve—, una remota idea. Una ligera idea, y rápida; una leve idea, una remota idea, tratándose de Lope, poeta, hombre de pluma, es lo que más se le aproxima; la más verdadera, la más justa y exacta. Por ligera, por rápida, por remota; por distante y por leve, precisamente, por volandera: por su ingravidez y lejanía.

Idea, que es la que nos evocaron sus palabras en la imagen viva de su suelo y su vuelo: suelo y vuelo de España. Idea, que es la imagen amorosa de la vida de nuestro poeta popular, de nuestro hombre de pluma, de nuestro independiente y revolucionario español.

Conferencia leída en el "Ateneo Popular" de Burgos, el 16 de junio de 1935.

UN VERSO DE LOPE,
Y LOPE EN UN VERSO

Solemos decir que nos falta tiempo para todo, que no tenemos tiempo para nada. Y es verdad, y precisamente porque nos falta tanto tiempo no podemos perderlo; pero no porque no queramos, sino porque no podemos. No podemos perder el tiempo que nos falta. ¡Pues qué más quisiéramos que perderlo! ¡Que poderlo perder!

Voy a intentar perder un poco de tiempo y hacéroslo perder, pensando, recordando a Lope de Vega, a ese gran pródigo del tiempo que fue nuestro poeta.

De toda gran poesía, de toda poesía, se ha dicho que debe o puede deducirse siempre una enseñanza. Ya sé que hay muchos moralistas baratos que temerían sacar ninguna de la poesía como de la vida de nuestro Lope, yendo en él la vida y la poesía tan aparentemente unidas, tan juntas. Y, sin embargo, la enseñanza que la vida y la poesía de Lope nos ofrecen merece meditarse. Tal vez con ello rompiésemos graves prejuicios que paralizan nuestra vida misma y nuestro pensamiento. Porque la ejemplaridad de nuestro Lope nos afecta tan vivamente, que, aun leyéndole hoy, al cabo del tiempo, de tantísimo tiempo perdido, nos parece nuevo, tan nuevo como a sus propios contemporáneos, que le tuvieron justamente, por peligrosamente nuevo, por revolucionario.

Voy a recordar un verso de Lope, un solo verso, para recordarlo todo entero. Decía un crítico francés que hay poetas que se expresan generosamente en una creación constante, y tan extensa,

187

que padece su obra misma por no concentrarse en algún libro *capital y único*. Y que hay otros, por el contrario, que concentran todo su esfuerzo creador en un solo libro, en una sola obra o un solo poema, y, casi como en resultado extremado, en un solo verso. La opinión vulgar consideraría a nuestro Lope de los primeros. Un poco de atención en su lectura nos hace considerarle a nosotros, no solamente como de estos últimos, sino como de los otros también y al mismo tiempo. Es decir, que toda la enorme, casi innumerable, labor poética de nuestro Lope nos ofrece estas dos vertientes: una, la de su extensión casi indefinida en el espacio: comedias, poemas, versos incalculables... Otra, la de su intención única en el tiempo: cualquier comedia o poema o verso, escogido al azar, nos ofrecerá seguramente este sentido *capital y único* a que el poeta crítico francés se refería.

Así, un poco al azar de lecturas recientes, me llega de pronto, como enunciado o como tema del momento, aquel verso de Lope que en un reciente estudio sobre él recordaba *Azorín*, al mismo tiempo que nos lo señalaba en su ingeniosa y certera aguja de navegar Lope; verso que tomó Nietzsche por suyo, a modo de lema o divisa, y que dice:

Yo me sucedo a mí mismo.

Con acierto nos hizo notar *Azorín* la coincidencia vital de Lope y Nietzsche en este verso. De Nietzsche, llamándole gran teorizante de la amoralidad.

Lope, dirían algunos, gran practicante. Uno y otro, grandes poetas vivos. ¿Qué vida es ésta, la del pensamiento de Nietzsche, la de la poesía de Lope?

Vida de verdad. Verdadera vida como la que de Dante rehacía hace poco en el recuerdo un gran escritor italiano.

Vivir es tener tiempo que perder; por eso dice Lope: *Yo me sucedo a mí mismo.* Y lo repite Nietzsche haciéndose a su modo otro Belardo. También otro Belardo que a la entrada de nuestro siglo predicaba exquisitamente idéntica vitalidad, Maurice Barrès, porque no conocía, sin duda, el verso lopista, tuvo que recurrir al neroniano *qualis artifex pereo* (¡oh qué artista muere en mí!), que viene en Barrès a decir lo mismo que en Nietzsche el verso de nuestro Lope. Lo mismo que aquel dannuziano *renovarse o morir*.

Todos éstos, a modo de Belardos que originaron nuestra sensibilidad actual, coinciden, como digo, vitalmente con aquella sensibilidad de nuestro Lope en este verso: *Yo me sucedo a mí mismo*. Por lo que pudiéramos decir, irónicamente, que mientras haya Belardos en el mundo habrá poesía; como mientras haya ironía habrá libertad; la ironía, decía el aludido Barrès, es la más firme garantía de la libertad. Lope no es otra cosa, entre otras cosas, que el más hondo y firme poeta español, independiente y revolucionario, de la libertad.

¿Pero aún hay Belardos?

> *¿Aún viven Belardos?*
> *¿No habéis visto un árbol viejo,*
> *cuyo tronco, aunque arrugado,*
> *coronan verdes renuevos?*
> *Pues eso habéis de pensar,*
> *y que pasando los tiempos,*
> *yo me sucedo a mí mismo.*

Esta es la respuesta de Belardo — es decir, de Lope —, que éste intercala en una comedia de su última época: *¡Si no vieran las mujeres!* Comedia en que deliciosamente se pierde el tiempo por un juego exclusivo de amor. Pierden el tiempo por amor todos y cada uno de los personajes de la comedia. Hacía perder el tiempo Lope con esta comedia del amor a todos y a cada uno de sus espectadores. Nos lo hace perder a nosotros al leerle.

¡Perder el tiempo! ¿Y qué es el tiempo?

Consultemos a los filósofos. Uno de ellos, también algo Belardo, contemporáneo de los otros, contemporáneo nuestro, nos explica la naturaleza del tiempo de este modo:

"Dando de lado a toda cuestión del tiempo único, queremos dejar establecido esto: que es imposible hablar de una realidad *que dura,* sin introducir en ella una conciencia. El metafísico hará intervenir una conciencia universal. El sentido común pensará en ello vagamente. El matemático no tiene por qué ocuparse de eso, porque lo que a él le interesa no es la naturaleza de las cosas, sino su medida; aunque si llegara a preguntarse qué es lo que mide, si fijara su atención sobre el tiempo mismo, necesariamente tendría que representarse *una sucesión,* y por consiguiente un *antes* y un *después,* y por consiguiente un *puente* entre ambos, porque si no no habría más que uno u otro, pura instantaneidad; luego, es imposible, repetimos, imaginar o concebir el trazo que une el *antes* con el *después* sin un elemento de memoria y, por consiguiente, de conciencia..." Sin una memoria elemental que enlace estos dos instantes uno con otro no podría haber más que uno de los dos, un instante único, y, por consiguiente, no habría *antes* y *después,* no habría *sucesión,* no habría *tiempo.*

Este sucederse a sí mismo, que encierra ahora para nosotros todo el sentido y razón de ser de nuestro Lope cuando nos dice por Belardo que eso es lo que hemos de pensar, el que, *pasando los tiempos, él se sucede a sí mismo,* quiere decir, en definitiva, que hay entre el pasado y el porvenir, entre el *antes* y el *después* de lo que vivimos, de lo que duramos, como un *puente,* un trazo, una sucesión, que es nuestra conciencia por ese elemento espiritual, que es la memoria; es decir, el alma. El genio —nos dijo Barrès— es tener alma. El genio de Lope es su alma. Genio creador, poético; es decir, animador del mundo, de sus mundos imaginativos. Y esta alma, que por la conciencia del tiempo, por el *sucederse a sí mismo,* nos expresa Lope, es la que engendra o crea su obra, sus obras, por su vida, tan luminosamente, porque la expresa y la subraya una línea de sombra; la que por su propia libertad de vivir o al vivir, libertad de amor y de amores, le enciende y apaga de pasión, de pecados. Esta es *toda la vida de un hombre,* la de Lope:

> *Un relámpago de luz*
> *que el aire de sombra escribe.*

"Si yo paso mi dedo por una hoja de papel sin mirarla —nos dice Bergson—, este movimiento que realizo, al percibirlo desde dentro, es una continuidad de conciencia, es algo como mi propio fluir interior; es, en una palabra, duración. Si, por el contrario, abro los ojos, veré que mi dedo trazó sobre la hoja de papel una línea seguida, en la cual todo es yuxtaposición y no sucesión; tengo aquí un desenvolvimiento que registra un efecto del movimiento y que puede ser su símbolo. Y esta línea puede dividirse, puede medirse. Dividiéndola y midiéndola podré llegar a decir, si así me resulta más cómodo, que divido y mido la duración del movimiento que la traza. Es verdad, por tanto, que el tiempo se mide por medio del movimiento.

Poco importa, por otra parte, que sea un móvil cualquiera el que adoptemos para contar el tiempo. En cuanto hemos exteriorizado nuestra duración propia como un movimiento en el espacio, todo lo demás se seguirá del mismo modo. A partir de esto, el tiempo se nos aparecerá como el desenvolvimiento de un hilo, esto es, como el trayecto que sigue aquel móvil encargado de contarlo".

Yo me sucedo a mí mismo —nos dice Lope—. Nosotros proyectamos esta sucesión, este hilo en que estuvo su alma, en que está su vida, en el espacio, viéndolo cómo ante nosotros se extiende por sus obras dramáticas, por su teatro. Este teatro es efectivamente función dramática de su ser, es su modo de perder el tiempo y de hacérnoslo perder a nosotros. Es, como toda representación de un movimiento en el espacio, el trazo o el hilo que lo mide, el hilo del tiempo por el que queremos sacar el ovillo de la eternidad.

Yo me sucedo a mí mismo —nos dice Lope—. Cerremos los

ojos, atendamos, como nos aconseja el filósofo, a percibir esta sucesión en nosotros, sin verla o mirarla fuera, en el espacio, sin proyectarla o escenificarla, sin teatralizarla, en una palabra, en el mundo. Esta sucesión personal de Lope la percibimos de este modo, líricamente, como una melodía. Una melodía que nos encanta como aquella de Dante, porque no entendemos su letra. La letra está fuera, en el espacio, escrita sobre el papel como la escritura del pentagrama. La melodía, la música, está dentro, en el tiempo, en nuestro tiempo vivo, en nuestra duración íntima y profunda, fluida como la sangre que nos expresa esta sucesión de nuestro ser en nosotros mismos. A la extensión dramática de la vida de Lope por la poesía responde esta otra intención lírica de su poesía por la vida o para la vida.

Y a todo hombre le sucede lo mismo: porque *se sucede* lo mismo en el tiempo y en el espacio. En el espacio se conduce o se mide. Por eso decimos la línea de conducta, porque la conducta de la vida es, efectivamente, una línea: un signo en el espacio.

La vida de Lope puede parecernos desarrollada en el espacio como una serie de actos o sucesos humanos peligrosamente amorales, si no inmorales. Y así puede juzgarse. Si no fuera por su poesía, así debería juzgarse. Pero su poesía está aquí para decirnos lo contrario, porque gracias a su poesía podemos percibir el engaño de esa escritura del papel, de esa letra muerta de su vida, por la que el proceso moral que por lo que en la vida la sucede quisimos entablarle, no es verdadero, es letra muerta, escritura torpe, torcida. Detrás de eso, por su poesía, percibimos muy otra cosa; percibimos, fluida, melodiosa, lírica, la vida creadora del poeta en el tiempo eterno de su ser, que es nuestro mismo tiempo y que dejaba dramáticamente en el espacio ese trazo, esas líneas torcidas, esos despojos.

Dios escribe derecho con líneas torcidas, dice el proverbio. Lo que Dios escribe en nosotros por dentro no pueden decírnoslo más que los poetas, los artistas. Gracias al arte, a la poesía, sabe-

mos que Lope, gran pecador, no fue como podría afirmarse frívo-
lamente —y así se ha afirmado por cierto protestantismo moral—, un sinvergüenza. Aunque un sinvergüenza es, naturalmente, mucho menos que un pecador; porque un pecador lo es
sobrenaturalmente.

La poesía de Lope trasparenta una vida creadora. Como toda
vida. El poeta se diferencia de los demás, de cualquiera de nosotros, en que por esta obra de amor que en definitiva realiza,
por estas construcciones o figuraciones imaginativas que nos deja
como testimonio permanente en el lenguaje, justifica toda su vida,
cualquiera que ésta sea: porque nos enseña con su poesía y por su
poesía que el hombre se sucede siempre a sí mismo, y que esta
sucesión viva del hombre es invisible y misteriosa para el hombre.
Si el poeta escapa a este juicio humano, lo hace, como el santo,
por el testimonio de sus obras de amor.

La línea que traza en el espacio una conducta viva es un jeroglífico insignificante para el hombre. Lo que el poeta tiene de
divino es el arte de encontrarle a estos jeroglíficos humanos, a estas vidas nuestras, su significado profundo o trascendente. Y esto
lo hace el poeta a costa de sí mismo, de su propia vida.

A un poeta como Lope, que nos ha dado tal riqueza de vida
por las significaciones humanas que descifra, sólo un fariseísmo
mojigato e incomprensivo puede reprocharle, por no entenderlo,
esa línea torcida de la conducta, ese gráfico de su fiebre, que en
altibajo y zigzagueo nos dejó marcado en el espacio, al moverse
en su vida exteriormente, impulsado por el amor, por sus amores.
Nosotros, como quiere el filósofo, debemos aplicar a la medida
de esa línea que por la vida le conduce la del móvil espiritual
que le es más propio: la del tiempo que por amor perdía. *Sólo del
tiempo estoy arrepentido,* nos dice Lope para mejor ejemplo nuestro y escándalo de mojigatos y fariseos.

Este verso de Lope sobre el que hemos venido meditando,
símbolo de su eterna vitalidad, este *yo me sucedo a mí mismo,*

193

puede sernos motivo que nos sirva para volver los ojos a su obra con toda la limpia e ingenua atención que se merece. Seguramente encontraríamos en ella cada vez nuevas sorpresas y nuevas alegrías, porque encontraremos con ello indudablemente en nosotros conciencia de nosotros mismos, de lo que nos sucede al sucedernos a nosotros mismos: de la vida ascendente, creadora; de la fe, de la poesía; conciencia de la libertad.

Conferencia leída ante el micrófono de Unión Radio, de Madrid, el 9 de mayo de 1935.

194

LOPE, SIGUIENDO EL DICTAMEN
—DEL AIRE QUE LO DIBUJA

I

¿Tanta es la cólera, tanta?

BURGUILLOS

Tenemos prisa. Nos espera un quehacer ineludible. Tenemos *que hacer*. Muchísimo que hacer. Aunque todavía no sepamos el qué. Ni cómo. Pero este *quehacer* que nos aguarda, nos inquieta y desasosiega. Estamos impacientes. No podemos estarnos quietos. Vamos de un lado para otro. Nos sentamos para levantarnos en seguida. No sabemos por qué ni para qué, pero tenemos prisa. Y este desasosiego nos va ganando de tal modo la voluntad, que pasamos de su inquietud primera a una impaciencia más vehemente: y de esta impaciencia a la ira, a la cólera. Nos encolerizamos porque sí, porque la impaciencia de nuestra voluntad lo manda. Y la vehemencia de nuestra inmotivada cólera nos mete tanta prisa, que ya no nos basta con levantarnos, con pasear, sino que quisiéramos salirnos de nosotros mismos. Nos enfurecemos. Nos ponemos furiosos. Y así, por impaciencia viva, por cólera, por enfurecimiento, salimos efectivamente de nosotros, nos ponemos fuera de nosotros, en el mundo. Salimos fuera, a ese *gran teatro del mundo* en el que nuestra enfurecida pasión nos adelanta. Y todo, todo lo que entonces nos rodea, nos ilusiona, nos entusiasma. Por todo, y con todo, nos entusiasmamos. Vamos, así, casi sin sentirlo, sin darnos cuenta, entusiasmándonos, de todo en todo; esto es, adentrándonos en todo, con total entrega de nosotros a esa totalidad que nos asume. Así, hasta perdernos. Por tan *clara confusión* de todo. Y entonces creemos que vivimos. Y que no hay más que hacer. Que no hay otra cosa que hacer más que

197

ésta: vivir. Nos sentimos entusiasmados por nuestro hacer o creer que vivimos. Y esto hacemos: vivir, con entusiasmo: furiosamente adentrarnos en todo. Así salimos de nosotros mismos para ir entrando en todo. Así partimos de aquel primer impulso que primero sentíamos como desasosiego leve, como acentuada impaciencia luego, como vehemente cólera al fin. Era esa voluntad de salir afuera lo que nos movía. Y eso queríamos, sin saberlo: vivir, existir, fuera. Creer. Creer que vivimos lo que somos, o que somos lo que vivimos: que la vida es para nosotros, voluntad; un querer y un hacer; que toda la vida, en definitiva, se hace o se nos hace a voluntad nuestra, imagen y semejanza nuestra: *que el mundo es nuestro,* en una palabra — porque lo creemos, porque lo creamos —: porque *lo queremos, en una palabra,* en efecto, *por amor.* No era extraña, entonces, nuestra prisa, nuestra impaciencia, nuestra cólera... Si el mundo es nuestro ser, si en nuestro afán primero y nuestra impaciencia y nuestra cólera lata este misterioso *quehacer* que es hacer el mundo, ser como dioses creadores, ¡cómo no íbamos a tener prisa, desasosiego, impaciencia, cólera!...

Pero no. Todavía no. El mundo no es nuestro todavía. Hay que templar esta impaciencia. Sosegarse. Tener calma. Esperar. Hay que sentarse y esperar. *Esperar sentados*:

> ... *la cólera*
> *de un español sentado no se templa*
> *si no le representan en dos horas*
> *hasta el Final Juicio desde el Génesis.*

Esto es lo que dijo, y lo que hizo, repitámoslo, una vez más, Lope de Vega. Y en el gran trecho del decir al hacer que hay en todo empeño puso como *en dos horas* toda la comedia de su vida y toda la vida de sus comedias. Haciendo teatro, poesía de su vida: vida de su poesía, de su teatro. ¿Qué teatro, qué poesía, qué vida fueron éstas que así se montaron tan airada como airosamente en los cielos? ¿Qué babélico empeño? O, para decirlo con palabras lopistas: ¿qué confusión de *tan claras confusiones* fue ésta?

Montada en cólera dije alguna vez que se nos aparece la poesía del teatro de Lope. Montada en el aire. Como el más puro y diamantino, cristalino empeño quimérico de España. *No nos engaña el pensamiento* si en el aire y por el aire la reconocemos:

> *No te engaña el pensamiento*
> *que hay hombres de tal donaire*
> *que tienen alma en el aire*
> *de cualquiera movimiento.*

El alma en el aire de cualquiera movimiento tiene la poesía de Lope, como la tiene Lope mismo, reflejado en ellas. *Hombre de tal donaire,* que hizo del donaire el protagonista esencial de su obra y de su vida, haciendo del aire su señorío, su dominio. Don-aire.

El señor aire. Que este señorío del aire es el de España, la de los castillos. País de sueño. Donde el sueño de la vida *envuelve en fabulosa enseñanza, una moralidad: que no se pierde el hacer bien ni aún en sueños.* Moralidad de Calderón, de Lope, de Cervantes y de Velázquez. Una moralidad, que como toda moralidad, es como una moneda de dos caras. Una moneda que tiramos al aire para sonarla. Por una cara, Lope, Calderón; por la otra, Velázquez, Cervantes... En éstas, es el señorío del aire el visible personaje que lo llena todo. Es el protagonista de las *Meninas* o las *Lanzas;* de los interiores como de los paisajes. El señor aire. Retratos del señor aire y de las señoras y señores del aire; y de todas las familias reales del aire o de más aire que en el mundo han sido. Han sido realmente aire: resonancia, eco. Lienzos llenos de aire los de Velázquez, como libros llenos de aire los de Cervantes. Unos y otros pintan el aire de verdad. El enigma de Don Quijote es éste. Mucho tiempo vine creyendo que el admirable libro cervantino estaba vacío: que la genial figura triste de Don Quijote estaba vacía, totalmente vacía. Al fin supe que no, que es todo lo contrario, que está lleno de aire, que es una asombrosa plenitud de aire, la suya. Y éste es su secreto perdurable. Como el de la demoníaca figura del Cristo velazqueño: dorado ángel de luz; apariencia angélica de Cristo; milagro — o trampa — del Demonio, como la trampa quijotesca. *Este recuerdo es una trampa del Demonio,* nos dice un personaje del teatro de Cervantes.

En Cervantes, como en Velázquez, el aire es protagonista visible. En Lope, en Calderón, el aire es invisible porque el hombre lo ocupa por entero. Por entero y por verdadero. Aquella mediación celeste que daban, según San Agustín, al aire los demonios — que en el aire y por el aire se mantienen como en su elemento que les es propio —, cesó al llegar la redención de Cristo, único y solo mediador celeste: y por Cristo se llama el hueco, el vacío humano, tan por completo que cesa el hombre en Él de ser de aire para no ser más que hombre de Dios; hombre humano o humanado de veras: cristiano, divino. Por eso, mientras Don Quijote se da al aire, dándose a todos los demonios, Alonso Quijano se da a Dios, muriendo como bueno, como cristiano. Lope empieza donde acaba el Quijote. Y esta otra *fabulosa enseñanza,* nuevamente caballeresca, es la suya: la de Lope vivo, la de Lope inmortal. Lope, humano y divino en todo: y tan humano y tan divino que siempre *está en todo;* esto es, fuera del aire y dentro de Dios (1).

Si al hombre se le quita su vanidad — había dicho Goethe —, *¿qué le queda?* Le queda el aire, o *el alma en el aire de cualquiera movimiento*: porque le queda el movimiento mismo. *Movimiento de la criatura hacia Dios,* dirá el teólogo. El airoso y airado movimiento del querer, que le enfurece y entusiasma. El amor, humano y divino.

A este movimiento de amor que es *cualquiera movimiento* — el de cualquiera y el de todas y cada una de las obras de Lope como el de todos y cada uno de sus actos en la vida — dio el donaire lopista una animación viva, espiritual, que es la propia suya: la de su alma, estremecida por el aire sobrenatural y naturalísimo que la alienta. Este *alma en el aire de cualquiera movimiento* es la suya propia —la de Lope—, su *donnaire*: el don de aire o *don del aire* que respira su personalidad perdurable. (Que en el teatro y en la vida, para salvarse o condenarse —para lo que sea—, lo primero es eso, y eso sólo: ser; existir, fuera; ser persona dramática o persona humana; y al serlo, y por serlo, imagen y semejanza divina.)

Pero este movimiento vivo que así se anima en el aire, o por el aire, que a su paso deja o que por su paso estremece, *siguiendo,* como diría Calderón —como dijo de una de sus más airosas criaturas—, *el dictamen del aire que lo dibuja;* este movimiento de amor, está, o se hace, en un espacio, o dentro de un espacio, que es, por su mecanismo propio, *espacio de tiempo.* El del teatro como el de la vida. Y este espacio de tiempo, lo mismo puede ser de *dos horas,* como de *dos años,* como de *dos siglos.* El mismo Lope que escribe en veinticuatro horas (¡famoso argumento de su ligereza! una comedia para que se represente en dos; el mismo Lope, tarda sobre cincuenta años, sobre medio siglo, en escribir otra —¡eso, sí!— para que no se represente nunca. Y es que no está en el tiempo ni en el espacio la medida de ninguna cosa duradera: porque son, por el contrario, el tiempo y el espacio, como pensó Hegel, los que se identifican en una unidad superior: que es, precisamente, la de su medida. Y la medida de esta acción, de este movimiento que imaginativamente se nos expresa por las palabras —en la vida como en la poesía—, está en su animación misma, está en su alma. Como está en el alma, en la memoria o por la memoria (apelo a San Agustín y a Bergson) la medida imaginativa del recuerdo, de los recuerdos —para que el recuerdo no sea una trampa del Demonio—; el recuerdo, que por la experiencia sensible de nuestra duración en el tiempo y en el espacio —que es nuestro ser, que es nuestra vida personal, nuestra personalidad duradera— nos anima, nos hace almas.

Nuestra ansiosa prisa de vivir nos exige, por la memoria, por el recuerdo, por el alma, el espacio temporal que la verifica o determina: que la expresa. Espacio de tiempo. Queremos prontamente lograrlo. Un espacio que nos impacienta hallar repleto de imágenes; de historia o de historias, que se repiten; de cuento o de cuentos de no acabar nunca; de vida, de sueño, de poesía. Y con aparente paradoja decimos *despacio*, para señalar nuestro afán de plenitud en la rapidez imaginativa; como aquel que pedía que le vistiesen muy despacio porque tenía prisa: porque no tenía tiempo que perder. Despacio para no perderlo, el tiempo, nuestro ser; de espacio, para que el tiempo dure en él o por él, en nosotros, y no se nos vaya.

Lope *baraja los espacios como un prestimano los naipes,* ha escrito certeramente Azorín. *Y este girar fugitivo y rápido, instantáneo y brillante es lo que nos da la sensación de la perdurable vanidad del mundo. El teatro de Lope* — dice Azorín — *viene a corroborar la visión del asceta.*

Todo el mecanismo de la vida de Lope, como el de su teatro, podemos fácilmente explicárnoslo de este modo: como tiempo o duración espacializada (Bergson), como inteligencia: pero como inteligencia viva — actual y actuante —, como inteligencia de amor *(inteletto d'amore).* Como el ser temporal y espacial de un solo, voluntario y amoroso movimiento, que es, al encadenarse a la vida, a nuestra misteriosa vida, función teatral como vida de un movimiento en un espacio: tiempo vivo, dramático, de ser. En la escena real del mundo como en la del fingimiento teatral.

La crítica, unas veces corta y otras larga de vista (con cansancio o con miopía), ha creído poder entender el teatro de Lope con la mera consideración superficial de este mecanismo. ¡Como si la viva y poética dinamicidad *genial* — o generadora — de Lope no tuviese causa espiritual mucho más profunda!

Y es que esa crítica lo que intenta es un análisis de lo muerto, del despojo mortal de la poesía de Lope, una autopsia del cuerpo muerto de la comedia lopista; y, ¡claro!, no lo encuentra el alma, no le coge el aire.

Porque es el alma la que rige, por el aire, la actuación eterna de *cualquiera movimiento* en esta persona dramática de Lope: en sus obras como en su vida. Es la animación imaginativa, creadora, la poesía, la que acorta o alarga, concentrándolo y extendiéndolo, como tiempo y espacio, en acto eterno y en jornada pasajera, la duración de un movimiento de amor, que, por serlo, es imperecedero, permanente. El *donaire* en la vida y en la poesía de Lope es, en definitiva, una personificación — humana y divina — de la gracia.

¡Cómo que a través de la rapidez creadora de Lope, en sus obras como en su vida, se nos revela por una acción providencial de la gracia el empuje de su voluntad y de su amor, únicamente y divinamente movidos por la fe! ¡Cómo que a través de la múltiple riqueza de sus obras y acciones, del aparente desperdicio y disgregación que de ellas una engañosa o engañada crítica nos ofrece, se evidencia esa misma unidad de sentido, de finalidad y de nacimiento, virtualmente teológica de la fe, de la caridad, de la esperanza! De este modo, vemos desvirtuarse, no ya las excelentes críticas de Lope que desde otros puntos de vista diferentes se han ejercitado, sino el *punto de vista* falso que le ha negado o regateado las virtudes de la más excelsa poesía, como las de la más alta y perfecta personalidad, humana, cristiana: católica.

El gran tópico peyorativo de la ligereza — disgregación y precipitación — se nos desvirtúa totalmente cuando advertimos que esa ligereza nos explica, porque verifica, la máxima virtud: el mágico, milagroso *arte de birlibirloque* de Lope de Vega y las razones que lo afirman. En su vida, en sus obras y en su consecuencia.

Las artes hice mágicas volando.

Aquella inquietud, aquella impaciencia, aquella cólera — que decíamos — eran como la desasosegada furia desnuda del caballo ante la frágil cinta que mide el momento que ha de lanzarse a la carrera.

Y esta es prisa viva, desnuda: prisa natural y perfecta; prisa de correr, no de precipitarse en la caída. La rapidez de la carrera elude precisamente el peligro de caer, al afrontarlo con la decisión de correrlo. La carrera más rápida es la del que antes quiere lograr su curso y alcanzar la meta propuesta. Por el peligro. Vivir en peligro —como Nietzsche quería— es pensar el peligro. La rapidez del pensamiento no es otra cosa viva más que esta rapidez desnuda del caballo o del perro en la carrera.

> Que para alcanzar a Dios
> mejor corre el más desnudo.

Pero como este pensamiento no es de aire, sino de luz, atiende a traspasar la velocidad del aire mismo para alcanzar su meta luminosa y divina. La fe, he dicho alguna vez que acaso podría representársenos como un pensamiento rapidísimo, como la misma razón lanzada a su más imposible velocidad conocida; más que la del aire o la del viento: a la velocidad de la luz.

> Dando voy pasos perdidos
> por tierra que toda es aire,
> que sigo mi pensamiento
> y no es posible alcanzarle.

Podemos *seguirle los pasos* a Lope por *esta tierra que toda es aire* de sus obras y de su vida, por ese mundo trasparente del que su propio, luminoso pensamiento, le lleva en pos. Por eso corre Lope por su tiempo como si pareciera en competencia con el correr del tiempo mismo; como si el tiempo, o los tiempos en su carrera, fueran los rivales competidores de la rapidez luminosa de su pensamiento.

¿Y no es posible alcanzarle?

Sin pararse, sin detenerse nunca, pero también sin precipitarse jamás, va siguiendo Lope su vivir y su quehacer, eterno, de la vida. Desde el primer ímpetu que le lanzara hasta los cielos. Como si este ímpetu providencial le hubiese lanzado expresamente para que cumpliera con su perfección, y para nuestro ejemplo,

el primer mandato divino: *amarás a Dios sobre todas las cosas.*
Lope quiere ir amando todas las cosas para poder así traspasarlas
amorosamente hasta el amor de Dios. Toda su vida es este amor.
Este divino efecto de la gracia. Todas sus obras son este mismo
amor. Todas sus *obras son amores.* Y esta voluntad que le determina por la gracia a vivir de este modo tan exclusiva y excluyen-
temente amoroso es aquella hondísima voluntad humana que
tiene su raíz invisible en la divina. Lope quiso e hizo esta *santísima voluntad* suya toda su vida. Hizo su *santísima voluntad* en
todo. Porque toda su vida y sus obras verifican esta coincidencia
santísima de lo humano con lo divino. Decir, por eso, que Lope,
la persona, la personalidad de Lope, es la de un poeta católico,
parecería poco. Habría que decir más. Y se diría, al modo también
de aquel donaire suyo, que ésta, por humana, por *demasiado humana,* por divina, figuración viva de nuestro Lope, nos parece,
sencillamente, la del catolicismo en persona (2 y 3).

Lope, ¿el catolicismo en persona?

En efecto; el mundo verdaderamente único y diverso, universal, católico, del cristiano, vinculado a su persona propia, a
su misteriosa vida personal, nos explica el sentido radicalmente
único, unitario o unitarista, que motiva todas las obras y toda la
vida de nuestro poeta. Consecuencia es ésa, para nosotros, abso-
lutamente contraria a la que la más despistada crítica positivista
de Lope, al cabo de un siglo, resume en frases como ésta: *el genio
de Lope no logra nunca, ni siquiera tiende a la unidad.* El error
de este enunciado es, como se dijo por alguno, tan completo, *tan
exacto,* que no hay más que volverlo al revés para obtener la más
justa definición del mismo genio poético de Lope a que se refiere: que es el tender siempre a la unidad, lográndola siempre.

La unidad, no la unión de nada. *Que ser uno y unirse es diferente cosa.* La unificación personal de todo, que *ésa es la cosa*
para el cristiano *(la sola cosa que importa)*: el ser uno, único; la
unidad de ser.

Que todo lo que es, en cuanto es, es uno — definía Boecio y co-
mentaba Santo Tomás —: *pues lo mismo decimos cuando decimos*

ser, que cuando decimos uno: ya que ser y uno pueden trastocarse mutuamente. (Sum. 3.ª, qu. 17.)

¡Huideros! ¿Qué uno? ¿Qué no uno? ¡Sueño de una sombra, el hombre!, clama Píndaro, en lengua española de Unamuno. Y también: *Aprende a ser el que eres.*

Aprende a ser único. Este es el aprendizaje del vivir cristiano: el de la unidad pacificadora del ser, por la fe en la palabra de Cristo. *Pacis doctor et unitatis magister,* le llamó a Cristo San Cipriano (De Or. Dom.). Que ser uno el hombre con Cristo, es la santa paz de esta doctrina. Lo que es punto menos que imposible para el hombre, pero no imposible del todo. ¡Infinito cálculo aproximativo el de este punto de que la salvación pende, o depende; la eternidad, la vida perdurable! Pues por este punto de su nada se ha de crear de nuevo el cristiano su ser, por el milagro de la caridad, que es el amor divino por la gracia. La vida verdadera. Punto de nada en que apoyar su esfuerzo espiritual hasta llegar a violentar el cielo. Dadle al cristiano un punto de esa nada de su ser en que apoyarse y moverá — o se moverá — hasta el cielo. Esto quiso hacer Lope, diciendo:

Pues es mi nada indivisible punto.

Expresando así, paradójicamente, hasta su último extremo, la negación del hombre por Dios, la afirmación cristiana del ser, último y primero. La negación y afirmación, por la cruz, de sí mismo. En último extremo, como en principio, para el cristiano, ser o no ser es este ser uno el que es y ser uno solo y uno mismo; es este punto de la nada del ser en que se cruza todo; sin lo cual, todo lo demás es nada, ni siquiera un punto, *todo lo demás es silencio*:

¡Sueño de sombra, polvo, viento y humo!

Ser uno el que es — o lo que es —, ser *cada uno, cada uno,* es lo que, con ignorada resonancia teológica, dice el buen sentir popular español cuando dice que *cada uno es cada uno*: como cuando dice *cada quisque* o *cada cual*. *Cada uno es cada uno;* como *cada quisque;* como *cada cual*. Lope es ese *quisque*, ese *cual*, ese *uno*, en que tan certeramente el pueblo que le rodeaba se vio reflejado a sí mismo como lo que era, o quería ser: como *cada quisque* o *cada cual* o *cada uno*; o, sencillamente, *como persona*: como una persona; y no como un cualquiera o como una cosa, como cualquier cosa. Es *un cualquier cosa*, se dice por el pueblo despectivamente (4).

Lope no es cualquier cosa. ¡Qué ejemplaridad *personal*, por eso, la suya! Aunque a los mojigatos y fariseos de una moralidad seudo-protestante, que entre nosotros vino enmascarando la moral católica, les sirva de escándalo o, como traduciría Unamuno, de tropezadero. Tropezar con nuestro Lope de Vega, escandalizarse con sus obras y con su vida, esto es, con su persona, es escandalizarse, es tropezar, una vez más y siempre, con la Iglesia. Como Don Quijote y Sancho en su tenebrosa ansiedad desesperada. Topar, tropezar con la Iglesia, es siempre el gran escándalo de nuestro Lope.

Pero con la Iglesia viva de Cristo no se tropieza; no se puede. Se tropieza con las piedras levantadas en su memoria y, a veces, contra su memoria. Hoy, que las piedras ya no se levantan, vemos que entre estas *vivas memorias* de nuestro poeta surgen aquellas *máquinas difuntas;* y que entre las *cenizas* y el *hielo* de que las vino cubriendo el tiempo forman aún las misteriosas cuevas:

> *donde el eco, al vuelo*
> *sólo del viento acaba las preguntas.*

Hagamos eco a nuestras preguntas en el viento, recordando, al vuelo, entre tantas piedras levantadas, y otras caídas, la voluntad viva del poeta cuando les dijo:

> *Que al fin sois piedras y mi historia es alma.*

Su *historia es alma,* para Lope, y *alma desnuda de moral vesti-do.* Porque *todo puede ser uno,* para él, *la historia y la poesía.* Toda historia se identifica, en esa unidad superior de su fe, con la poesía, por el amor, por el espíritu; gracias al soplo animador del pensamiento espiritual que la expresa, de la voluntad de amor que la concibe:

Tú sola el alma de mis versos mira.

II

El águila nos provoca con su vuelo — dice la Escritura.

Siguiendo el dictamen del aire que lo dibuja en el cielo, en los cielos, estamos ante Lope de Vega, poeta hermético de la fe católica.

Hermes es el dios que se afirma en una infancia permanente, por el aire, en la brisa del alba anunciadora, como mensajero del día. Así nos aparecen también herméticos el anuncio angélico a la niña virgen y madre: y en la medianoche el Belén, la anunciadora presencia alada.

Lope inicia por un natural y sobrenatural hermetismo de poeta auténtico la verificación de una poesía que toca en sus extremos, humano y divino — natural y sobrenatural —, aquella poesía del nacimiento de su dios con la de la infancia divina del mito helénico, que es la del nacimiento permanente de la poesía.

Siguiendo el dictamen del aire que lo dibuja en los cielos, estamos ante Lope, poeta hermético y cristiano de los nacimientos: del nacimiento de la fe y del nacimiento de la poesía (5).

La gloria del reciente nacimiento constante de la poesía se une en nuestro poeta con la del nacimiento reciente de la fe en el Dios nuevo, herméticamente niño también, vivo y desnudo.

Es un niño lo que Lope canta — escribe Montesinos —, *un niño que tiene "unos ojuelos tan bellos" como los que dio Murillo a sus Bautistas y a sus Cristos infantiles. Un niño que tiene frío y sueño, que "llora de amor", pero con lágrimas de niño, y al que Lope consuela y mece con canciones de cuna que hubiera podido cantar*

*a sus propios hijos. No sin misterio incluyó en "Los Pastores"
aquellos versos:*

> No se dejaba mirar
> envuelto en nubes y velos;
> ahora en pajas y hielos
> se deja ver y tocar.

*Lope toca realmente a Jesús, le acaricia. La inmensa ternura
que sintió por la infancia consigue en estos versos de "Los Pastores" su más fina expresión poética; Lope prestó a María — madre,
pero también niña — palabras nacidas de sus propios sentimientos
paternales.*

El *hijo del hombre,* hijo de Dios vivo, humanado, encarnado,
por el amor, por el Espíritu, *se deja ver y tocar* gracias a esta
poesía, encarnación verbal, a su vez, del amor divino, que, por
serlo, tan humanamente se expresa: tan divinamente.

Esta poesía de risas y de lágrimas — leemos también en Montesinos —, *de travesura y compunción, tiene rostro de niña. Tiene
encanto y frescura de infancia, y fue, como la infancia, una promesa inconcreta.*

La fe con que sembré tanta esperanza — que nos dirá Lope —,
¿es una promesa inconcreta?

La vida de la fe, como la infancia, es, concretamente, mucho
más, sin dejar de ser eso, una promesa y una esperanza. Al contrario, por serlo. La vida espiritual del cristiano, por la fe, vida
misteriosa, así se verifica y expresa: como infancia eterna; como
vida nueva, o constantemente renovada: recién nacida. Por el
amor, por la poesía. Hermetismo cristiano, o cristianismo hermético, es esta coincidencia celeste en la que arde la niñez de una vida
nueva — que como dijo Quevedo y vio admirablemente Dante —,
la vida nueva que en niñez ardía, es esta misteriosa vida de la fe
para el cristiano cuando aprende, evangélicamente, que hay que
ser o hacerse como los niños para poder entrar en el reino de los
cielos; como niños recién nacidos para apetecer, herméticamente,

la luz divina de esa aurora, la leche alba del espíritu — que nos canta la Iglesia de Cristo —, la razón intacta, inmaculada, de la gracia.

Y ésta es la fuerza hermética, cristiana, de la poesía en Lope: *la fuerza de un niño. Una fuerza enorme, la del poeta, una fuerza prodigiosa, titánica* —escribe Azorín—: *parece, por lo sencilla, la fuerza de un niño.*

> *Niño el esposo y niña le traía,*
> *que gusta Dios para tratar amores*
> *de difrazarse en tanta niñería.*

Esta poesía de Lope, tan fuerte y sencillamente infantil, con su *rostro de niña*, con su *encanto y frescura de infancia*, se nos aparece, en efecto, como encarnación graciosa del espíritu, como expresión viva de la gracia: ardiente niñez de nueva vida, como la de la infantil Beatrice de Dante, sonriendo en el camino del Paraíso: ardiéndole la alegría de la niñez hasta el fondo de la riente llamarada viva de los ojos:

> *Che dentro agli occhi suoi ardeva un riso*
> *tal ch'io pensai co'miei tocar lo fondo*
> *della mia grazia o del mio paradiso.*

Ver y tocar, como hace Lope con el cuerpecito niño de su Dios vivo, por la fe, porque lo que cree y no para creerlo, hace Dante con esta su pueril figuración viva del amor, encarnación pura de la gracia. A Lope, como a Dante, le sonríe la vida, la poesía, infantilmente, por la esperanza, en el camino de sus cielos o a las puertas de sus infiernos de amor: que también de Lope, como de Dante nos dijo Boccaccio contándonos su vida, su misteriosa vida, pudo decirse aquello de que *in questo mirifico poeta truouvò ampísimo luogo la lussuria.* Lujuria de amor, sombra de una inocente infancia perdida, por el pecado, para el alma: sombra de amor acusadora del pecado, mortal para el alma, por su órfico regreso infernal de tanto amor desengañada. ¡Cuántos versos de Lope no nos dicen como el de Dante!:

amor che a nullo amato amar perdona.

Mirífica y lujuriosa poesía de amor la de Lope como la de Dante, en que la sensibilidad cristiana, por serlo — sensibilidad y cristiana —, tiene estremecimiento de rezo, anhelo y alcance de oración.

Sensualitas Christi oravit — decía Santo Tomás —. La sensualidad, la sensibilidad humana de Cristo era una oración.

En estos poetas de amor, del amor, tan humanos como divinos, tan cristianos como lo son Dante y Lope, poetas tan misteriosamente vivos, la sensualidad, la sensibilidad, es oración humana también, por serlo; es súplica, es rezo, aun cuando peque.

Sensualitas Lope oravit.

Reza por no gritar esta poesía tan amorosamente desengañada. Aprieta las manos, cruzándolas, para no gritar: y acaba por besar sus propios dedos lastimados, rezando.

Cuando el amor divino, por la Encarnación — nos dice uno de nuestros más olvidados, o desconocidos teólogos del xvii —, *hizo descender al Verbo eterno a unirse (como se unió) con nuestra humanidad, una de las mayores bajas en que le puso fue que entre el Verbo y el hombre hubiese comunicación de idiomas, y que se dijese muriendo el hombre, que moría Dios: y cansándose el hombre, que Dios se cansaba; y al contrario, que se afirmase del hombre lo que de Dios se afirmaba. Gran baja, o alteza de amor fue ésta.* (Fr. M. Prieto, *Ps. Euc.*, 1622.)

Gran baja o alteza de amor fue toda la vida, son todas las obras de Lope. *Gran baja o alteza de amor*, que, por serlo, le dan a sus obras y a su vida, poéticamente, ese altibajo palpitante, ese ritmo vivo como el latido de la sangre (6).

Gran baja o alteza de amor fue Lope.

Y por eso, poeta de amor y del amor, lírico y no trágico, reza y no grita; y está desnudo ante nosotros: en sus obras como en su vida; en su pensamiento como en su rostro. Desnudo. Desenmascarado.

Dios está desnudo, había dicho Séneca.

Para nacer y morir como hombre, Dios está desnudo.

He aquí al hombre, se nos dijo al sacarlo vestido, disfrazado de rey de burlas, para escarnecerlo; escenificado, teatralizado, en el Pretorio. Para decirnos que no era más que un hombre, que no era Dios. *He aquí al hombre:* Cristo, vestido, enmascarado por los hombres de mala fe y para los hombres de mala fe. Y todos los hombres de mala fe siguen y seguirán enmascarando a Cristo, vistiéndolo de rey: burlándolo, que es la peor forma de negarlo, de estar contra Él.

Pero *Dios está desnudo*: sobre la cuna del pesebre al nacer como sobre la cruz al morir. Ante los hombres de buena fe, de buena voluntad, *Dios está desnudo;* como niño y como hombre, nace y muere, humanamente y divinamente, desnudo. Porque nace y muere entero y verdadero; entera y verdaderamente. Como resucita. Cristo está desnudo ante las puertas del Infierno.

Así lo entiende Lope. Y en su carne, en su cuerpo vivo, se estremece, por ello, de alegría. Porque en su corazón de niño, de hombre — de poeta —, ha latido este sentimiento de puro amor, virtualizado por la fe, por la caridad, por la esperanza... Y *sólo el que escucha en su corazón* — dice el apóstol — *conoce los deseos del Espíritu.* (Rom. 8, 27.)

La carne — nuestro cuerpo, escribía Santo Tomás— *tiembla, se estremece de alegría en Dios vivo: y no porque el movimiento de la carne pueda, por sí mismo, ascender hasta Dios, sino porque en ella* — en nuestra carne, en nuestro cuerpo — *repercute el corazón con su latido.* (Sum. 3.ª, qu. 21.) (*Y sólo el que escucha en su corazón conoce los deseos del Espíritu.*)

A Lope, como a la Magdalena, le salvará — como a todo lo humano que verdaderamente, amorosamente, se salva — la causa misma de su perdición: su sensualidad amorosa, su sensibilidad extremada. Porque al extremarla de este modo, percibirá en su carne viva el latir de su corazón que le advierte para que en él escuche los deseos del espíritu: las voluntades o voluntad divina.

Sólo así, a bulto — decía Santa Teresa —, *sabemos que tenemos alma.* Porque no sabemos que tenemos alma sino cuando empezamos por tropezar con nuestro cuerpo, con el bulto de nuestro cuerpo que ensombrece o dibuja, de este modo, en el pecado y por el pecado, la claridad, la animación de nuestra vida. *Vida airada,* la nuestra; en la cual, por serlo, el más santo peca siete veces al día. Cosa nada fácil. Si no es la santidad esta especie de heroísmo del pecado, se le parece mucho. *Vida airada,* la de nuestro Lope: encendida, luminosa por serlo. Que al aire, al soplo del espíritu, se prende en fuego la materia leve de nuestras humanas tragedias; de los trajes, las máscaras, las mentiras que nos envuelven. *Vida airada,* porque es aire también la ira, la cólera, la impaciencia y desasosiego que nos despierta el alma; que nos anima de claras confusiones el mundo, abultándolo de pecados.

Poniendo el alma en el aire de cualquiera movimiento se anima el mundo. Pues *del mismo modo que nuestra alma, por ser aire, nos sostiene, el soplo, el aire, envuelve* —y anima— *al universo entero,* decía el griego. *La vida es un soplo,* en efecto (¡y qué bien lo supo hacer y decir Lope!). *La vida es un soplo:* pero un soplo divino. La vida nació, para los hombres, de este soplo divino. Lo que tiene la vida humana de divino es este soplo, este aire, este alma, este movimiento de amor, que desde el sol y las estrellas hasta el mínimo corazón humano, repercute en nuestro cuerpo vivo, en nuestra carne, haciéndola temblar, estremecer de alegría en la desnudez de Dios vivo. Hasta los huesos se nos ríen, como canta el profeta, de esta alegría viva de lo perdurable.

Dios está desnudo, por Cristo: *sin desconfiar de la esperanza, sin sentimiento del dolor, sin miedo de la muerte (sine spei diffidentia, sine sensu doloris, sine metu mortis).* Dios está desnudo por Cristo, y el cristiano lo está por Él y para Él: desnudo; para sentir mejor en su propia carne, amorosamente, como la brisa hermética del amanecer, el temor divino. Dios vivo, desnudo por Cristo, en su infancia, en su agonía humana, en su muerte: y en

214

su resurrección gloriosa, pone sobre nuestro cuerpo vivo desnudo, lacerado de amor y de dolor, de enfermedad, de vejez y de muerte, el soplo, el hálito, la brisa anunciadora de su esperanza. Y así el alma, en el aire y por el aire, gentilmente, envuelve y aprisiona el cuerpo, formándolo en Dios y para Dios, vivo, de ese modo, de ese movimiento de amor, que es *cualquiera movimiento* que sensualiza o sensibiliza por la repercusión del corazón en nuestra carne los deseos del Espíritu: deseos que fueron el hacerse uno con nosotros comunicándonos por la sangre su latido. *Que la sangre es espíritu*: porque la fe — como dijo San Pablo — tiene que hacerse en nosotros nuestra propia sangre. Y así se hace, gracias al misterio eucarístico: a la más perfecta *obra de amor;* al milagro de la comunión cristiana.

El cuerpo, la sangre de Cristo, nos encarnan de nuevo en cuerpo y sangre, invisiblemente desnudos, recuperados por la gracia: con nueva luz, con nueva verdad, con nueva vida. Nos desnudan de nuevo en el espíritu. Nos hacen hombres nuevos por la sangre que interiormente nos enciende y transparenta el alma con la fe, recién nacida, en Cristo; con esa invisible túnica sangrienta de la gracia que nos envuelve de su fuego de amor tocando en nuestros labios con el hechizo de su secreto venturoso para hacernos inteligibles, trasparentes, todas las cosas de esta nueva creación divina. Máscara de sangre es nuestro rostro vivo cuando el amor lo enciende por la gracia: *que el hombre exterior se desgasta y perece para que el interior se fortalezca y dure* — dice San Pablo.

Ladrón del tiempo con disfraz, le llamo,

nos dirá Lope.

III

La mejor máscara de todas es la de nuestro propio rostro, pensaba Nietzsche. Que es decir la de nuestra alma. Máscara de cristal: trasparente. Nuestro rostro está enmascarado por el alma que se espeja o refleja en él, modelándolo sucesivamente de pasión o pasiones: viva y mortalmente. Cuando entre nuestro rostro y nuestra alma se pone otra máscara cualquiera, esta máscara nos ofrece la expresión trágica del destino, porque nos expresa por la risa o por el llanto la inmovilidad de una pasión, la paralización de la vida: la mueca alegre o triste de la muerte. Eso fue el teatro griego. Espejo y enigma trágico del vivir; de la vida paralizada mentirosamente por el miedo más loco de la muerte: riendo o llorando del destino. Espejo y enigma significativo de un mundo enmascarado.

Lope, poeta cristiano, dio la cara a la vida como a la muerte, arrancándole, por la fe, al destino, su máscara de apariencia eterna. Y a cara descubierta, a cuerpo limpio, hizo su juego puro de vivir, desnudo, por la poesía: totalmente desenmascarado. *Poniendo el alma en el aire de cualquiera movimiento*, actúa las pasiones humanas, reflejándolas en los rostros vivos de una figuración escénica, dinámica, sucesiva, variable; porque expresa o se expresan por ella todas las pasiones más vivas del amor: libremente, antes de que las paralice el miedo. Por eso, esta poesía del teatro lopista se crea, al contrario, de la del teatro de los griegos, desde fuera, o de fuera a dentro, como el cinematógrafo. Y es tan luminosa y profunda, tan penetrante, porque traspasa con su ardoroso, acerado empeño de existir, la carne más viva del mundo; de un mundo desenmascarado, desnudo: el mundo vivo de la creación divina.

¡Oh fábula moral que nos enseñas
que el firme amor ha de vivir desnudo!

La mejor máscara es el rostro cuando refleja la luz celeste en que el alma le tiene aprisionado, enmascarado, por el aire, a través de su cristalina trasparencia, como cuando espeja el sombrío crepúsculo de su agonía, el trance mortal y tenebroso en que la sume el daño del pecado que la rompe, que la hiere, que la lastima, que la enturbia: que la ensangrienta. *Noli me tangere*, había dicho Jesús. Porque cuando se llega al cuerpo para herirle o para profanarle, hay que romper la máscara cristalina del alma, lastimándola y arrancándole su verdadera vida.

Estas máscaras de cristal, esta animación viva que puebla de imágenes verdaderas, de tan luminosos fantasmas, la poesía de Lope, trasmiten a su mecanismo dramático ese enfoque divino en que se expresa su afirmación teatral con precisión y forma de iluminaciones, de miniaturas fervorosas. Si el aire aprisionado entre la máscara y el rostro en el teatro griego (entre el alma y el cuerpo) es una trampa de la voz que se agiganta para abultarnos el pensamiento y las palabras, lanzándolas fuera en imágenes gigantescas, en mascarones espantosos de un destino trágico, que igualmente se convierte en grotesca burla — risa o llanto a gritos de pánico estruendo —, el aire libre del teatro lopista hace lo contrario: disminuye las imágenes y las palabras para precisar el pensamiento, *siguiendo el dictamen del aire que lo dibuja;* del movimiento animador del aire que lo proyecta, de este modo, como en voz baja, en íntimo coloquio espiritual, en concentración de amor puro. La figura del hombre, el destino humano, en esta otra empresa poética que Lope proyecta de este modo lírico y no trágico en un teatro paradójicamente desnudo, desenmascarado, no se nos ofrece, por eso, como un juguete de los dioses,

217

ni tampoco haciéndose dioses de juguete: sino jugándose él, el hombre en persona, a sí mismo y por sí mismo, el todo por el todo; esto es, su propia persona, su propia alma, su propia vida: a su libre albedrío único, personal, dramático.

> *No porque tengan fuerza las estrellas*
> *contra la libertad del albedrío*
> *más porque al bien o al mal inclinan ellas*
> *y no ponemos fuerza en su desvío*

nos vence el destino del amor, según Lope, con su constante desengaño. La libertad del albedrío es, en este amoroso laberinto de la vida, en esta viva *floresta de engaños* del amor, la que nos conduce el alma, en un hilo o por un hilo, arrancándonosla dolorosamente a nosotros mismos de esta entrega a la voluntad engañosa de los astros. No está escrito en los cielos ningún destino trágico del hombre, sino su presencia desnuda, y nada puede arrebatarle esta libertad de su alma para desviarse de su estrella o de sus estrellas; aun cuando sienta, dulcemente, al huirlas, al huir sus inclinaciones, por el cepo de amor que le puso este tiempo suyo pasajero:

> *Presa en laurel la planta fugitiva.*

Lope supo de esta libertad, que es el ser único del hombre, de la persona humana. Y a esta libertad del amor, del espíritu, se dio en cuerpo y alma o con alma y vida,

> *que adonde amor es alma, el cuerpo es sombra.*

Todo se anima en su poesía, en su persona viva, por esta libertad del ser, del amor, del espíritu; por esta posesión de la verdadera caridad, que empieza, pero no hace nada más que empezar, por uno mismo, por la persona única, para poder acabar en Dios y por Dios en todo. Para que todo sea por Dios y todo pueda ser uno, Lope pordioseará el amor toda su vida de este modo: *dándo-le el alma a quién se la dio,* la posesión del alma, por la fe, por esa fe *con que sembró tanta esperanza.*

Si el alma es posesión, la fe esperanza,

nos dice en un verso, que le define por entero.

Lope, por eso, por la posesión del amor que le hace único, se pierde y se gana sin descanso. Todas sus obras, como su vida, nos le muestran siempre perdiéndose para poderse encontrar. Verdaderamente laberíntico, como él decía. Y es la extensión dramática de este laberinto amoroso, innumerable como sus comedias, como sus estrellas influyentes; pero es su intención lírica una sola, única y sola: como su persona, como su alma.

Ejemplo de esto nos ofrece con sus comedias incontables y con su contadísima *Dorotea.* Esta *Dorotea,* que es el más acabado milagro del arte y del amor, de la poesía, que se haya dicho en lengua humana. Porque nos expresa en un momento único — *momento de equilibrio, de ecuanimidad, de maravillosa lucidez,* como nos dice Montesinos: *momento de comprender y sonreír* — a todo Lope; o sea, a todo lo que puede sernos uno y lo mismo que para Lope: todo lo que puede ser ese *alma en el aire de cualquiera movimiento,* esa mudable y permanente encarnación graciosa, espiritual e intelectual — quiero decir inteligente — del amor: del amor más vivo, del amor más loco.

Cuando por loco amor ofende el llanto

hay que volver los ojos a esta poesía y a esta vida personal de Lope, porque todo es animación en ella, todo sonrisa. La más comprensiva sonrisa. Frontera visible de la gracia, perpetuamente renovada, mudable, sin la fijeza necesariamente definitiva de la máscara por la risa o el llanto: de la falsa fatalidad o destino que enmascara la libertad humana ocultándole a su divina Providencia. Hay que volver los ojos a esta poesía animada por la sonrisa

219

de la más fina sensibilidad, de la más pura inteligencia, como ante el paisaje vagneriano de los *encantos del viernes santo* nos invitaba a hacerlo Barrès: *Tú lloras*, se le dice a Kundry, *mira la pradera que sonríe.*

Ma lieta Primavera mai non manca.

Esta poesía de Lope, que también para nosotros *tiene pausas de música suave*, así nos sonríe, en efecto, primaveral, luminosa y perfecta; obra viva de amor, al cabo, de la gracia; frontera espiritual de Dios vivo:

> *Alma región luciente,*
> *prado de bienandanza, que ni al hielo*
> *ni con el rayo ardiente*
> *fallece; fértil suelo*
> *producidor eterno de consuelo.*

Conferencia leída en l'Institut d'Etudes Hispanique de la Universidad de París, el 23 de febrero de 1935.

NOTAS

(1)

"¿Pero el alma, que suspira por tales ficciones quiméricas, no ofende a tu amor, confiando en falsedades y manteniéndose, cual camaleón, del aire?

"¿Pues qué es otra cosa vivir a la vanidad que alimentar a los demonios mismos? Esto es, servirles de entretenimiento y risa".— (San Agustín. *Conf.* Lib. IV. Cap. II.)

(2)

Entre otras muy buenas razones de que las obras sean amores, leemos en nuestro Fray Melchor Prieto (*Psalmodia Eucharistica*, Madrid, 1622) las que siguen:

"Los hombres, como interésales el amor, llaman y estiman por beneficio la materia de la obra que redunda en su provecho, pero en todo rigor y verdad, ni el amor es las obras, ni ellas se pueden llamar buenas ni malas, sino en cuanto proceden o no de este efecto".

"Sólo lo que nace de amor es buena obra y favor, y eso es lo que queremos significar con decir: *obras son amores;* efecto y demostración del amor son las obras buenas".

"Que las palabras no sean ni se deban llamar amor, es cierto, porque no suele haber cosa más mala y engañosa que ellas, aunque más amor signifiquen; y no sólo en rigor las palabras, pero a veces ni aun las obras son amor, y más cuando son hijas o de la cortesía o de la obligación o de la fuerza; y aun del odio. Las obras que son amores son las que proceden de la voluntad y del amor".

"Que amor y voluntad es una misma cosa, no sólo nuestro modo de hablar español lo dice, que para decir quiero a fulano, dice: téngole voluntad, sino también es frasis de la Escritura Santa *(sumere voluntatem pro amore)*, como parecerá de muchos de sus lugares. Hablando Malaquías en nombre de Dios, enojado con los hombres, les dijo: No os tengo voluntad, no os puedo ver, aborrézcoos de muerte".

"San Agustín, con su acostumbrada agudeza, dice: El verdadero amor es una transformación o conversión del amante en la cosa amada".

"Hacemos una misma cosa, que en eso consiste el amor: en unificar a los que se aman. Y así definió Teofrasto el amor, diciendo: El amor es una conformidad, una junta y unión de dos voluntades en una. De manera que el unir no es lo principal que el amor hace ni pretende, no es ése su deseo, sino consuelo de la flaqueza de los amantes; lo que él procura es hacer una misma cosa, que los dos que se aman sean uno, *que ser uno y unirse es diferente cosa*. Únese aquello que se abraza con otro, pero no es uno lo que en sí no tiene otro ser sino sólo aquel del que ama".

"Así lo vemos en Dios, entre el Eterno Padre y su Unigénito Hijo, cómo se aman con amor infinito, que es el Espíritu Santo, y no hay flaqueza ni limitación de sujeto que limite su poder y fuerza en amor. No se contenta el amor con unir al Padre con el Hijo, sino que los hace uno *(ego pater unum sumus)*. Y así está todo el Padre en el Hijo, y todo el Hijo en el Padre; y si entre todos hubiera dos esencias no se amaran con virtud infinita: porque el amor hasta llegar a hacer un ser de dos personas no descansa ni se quieta".

"Este fue el propósito primero que Dios tuvo acerca de los

hombres desde *ab eterno*, hacerlos una cosa consigo: así lo dio a entender el Espíritu Santo, que introduce allí el Verbo Eterno, antes de la formación de los siglos, y representa los eternos gozos en que se hallaba mirándose en su Eterno Padre, y amándose con el Espíritu Santo, infinita y puramente *(Et delectabor per singulos dies)*. En mis eternidades — dice el Verbo —, me deleitaba, gozando con pureza de los regalos y gloria infinita común y una misma en todas tres personas *(Et delicia mea esse cum filius hominum)*; y mis gustos, cuidados y regalos, era estar con los hijos de los hombres. Caso espantoso que en medio de los gozos de las divinas personas, con que todas tres se gozan y aman infinitamente, diga el Verbo, ¡que tenía ansias por otros deleites, y que éstos eran el estar acá con los hombres! Gran cosa somos si nos supiéramos estimar, pues fuimos objeto poderoso, si no para parear e igualar el gusto con que Dios se amaba a sí, a lo menos a introducirnos en medio dél, y de que aquel fuego del Espíritu Santo, entre los incendios sagrados y llamas inaccesibles del amor del Hijo y del Padre, centellease en cuidados de gozarse con los hombres. Y aún más dicen estas palabras de lo que suenan en la común exposición de todos, que es decir que tenía Dios deseos de hacerse hombre y morir por ellos".

"Parece que no podía Dios desear ser hombre, en competencia de gozarse consigo; que no es ése el intento primero del amor: y así aquel ser con los hijos de los hombres *(Esse cum filius hominum)*, no quiere decir *estar* con los hombres, sino *ser* con ellos".

(3)

¿Lope, *el catolicismo en persona?*
Esto nos extraña.

Y, sin embargo, no nos extrañaría nada, en cambio, decir: Lope poeta y católico. O sea, separar la poesía de la fe que de otro modo aparecen unidas, juntas, como cualidad personal; pero volviendo a unirlas o a reunirlas, sustantivamente y no adjetivamente, diríamos, en la personalidad viva que las engendra o que en ellas se engendra: en la persona humana de Lope.

En una palabra —y con ello centro una de las cuestiones que a propósito de Lope pueden planteársenos (cuestión, no problema, porque no es lo mismo)—, en una palabra: ¿existe una poesía católica independiente de aquella personalidad que la vivifica o verifica? ¿Es Lope, en sus obras y en su vida, la personificación de esa poesía?

Y digo en sus obras y en su vida porque, precisamente, lo que esencialmente y no sólo existencialmente define la personalidad de Lope es esta unificación de las obras y de la vida —o de las obras con la vida— por el amor o en el amor: unificación, que no unión amorosa. *Por lo mucho que amaba*, Lope alcanza esta unidad superior del espíritu. Por lo mucho que amó, pecando, o por lo mucho que pecaba amando —que viene a ser igual—, se redimía o se encontraba, perdido o por perderse. Y así vemos, tan vivamente, que *obras son amores* en Lope *y no buenas razones* como en Calderón.

También, por esto, se le ha comparado con Goethe, con el lento Goethe. Por este amor de todos sus pecados que aparenta unir las obras y la vida. Y aún más, en su principio, por su pecado original, generador de tantos males, por aquella primera salida teatral a las apariencias del mundo. Lope está, en efecto, más cerca de los años de aprendizaje de Guillermo Meister que del olímpico burgués de Weimar, que, en definitiva, como le reprochó Novalis, los había traicionado. Cabría aceptar la equiparación entre Goethe y Lope, precisamente para esto, para decir que Lope es, o hizo en su vida, con su vida, exactamente todo lo contrario que Goethe.

Lope no se traiciona. Para todas las cosas tiene el mismo amor. Su personalidad no se hace de egoísmos, sino de generosidades. Se enriquece a fuerza de dar. Es un milagroso derroche de vida y de poesía. Y esta amorosa generosidad con que se pierde, le encuentra o le gana: le salva. Por no perder de vista la palabra evangélica de que el que quisiere salvar su vida, la perderá: Lope, por perderse y perderla, la ganaba. Por saber que *una sola cosa importa*: el amor. Que la semilla muera en el surco. Por eso dice y hace lo que dice o no como dice: amar, que totaliza y unifica. Por eso, para él, efectivamente, *todo puede ser uno*. Porque *unirse y ser uno es diferente cosa*.

Goethe *une* su obra, o sus obras, con su vida. Lope, separándolas, *las unifica*. Y esta unificación lopista del amor —o por el amor— es el eje espiritual, la virtud cardinal de sus obras como de su vida: pues sobre esta unidad invisible monta y gira —a semejanza de la creación— el movimiento que amorosamente le expresa.

Por eso Lope, como Dante, y todo lo contrario que Goethe —el de *sin prisa, pero sin reposo*—, hace su creación, viva y lírica, por el amor, como Dios en el *Génesis: con prisa pero con descanso*.

Mas vengamos a la poesía católica. Y a lo que esto sea.

No es el catolicismo una religión vaga, imprecisa, que pueda fácilmente dejar invadir sus fronteras imaginativas por esa otra especie de religión o religiosidad vaga e imprecisa de una poesía sin más, de una poesía pura o poesía deshumanizada, como se ha dicho. A esta religión positiva, concreta, que es el catolicismo, se llega también por esas zonas fronterizas de su poesía como por otra parte cualquiera, por ejemplo, por la superstición; lo cual no quiere decir naturalmente —ni sobrenaturalmente— que esta religión sea poesía ni que fuese superstición; o, lo que es lo mismo, que esta poesía lo sea como una especie de religión o superstición. No. Porque una vez más, como tantas otras, tendríamos que repetir lo mismo: que lo malo es hacer poesía de la religión, haciendo religión de la poesía. Porque tan malo es la poesía de la religión como la religión de la poesía. Una poesía católica como un catolicismo poético.

Por eso no conviene establecer relaciones genéricas: por ejemplo, entre poesía y religión o fe y poesía, sino determinar, especificar, concretamente, esta relación misma, definiendo expresamente, antes, de qué fe o de fe en qué, como de qué poesía o de poesía de qué, es de lo que se trata.

Poesía católica querrá decir, en todo caso, para nosotros, aquella poesía que se junta o convive con la fe católica en la persona viva del creyente. Esto es, que no habrá tal poesía de la religión, que no habrá tal poesía católica, ni en la historia ni en la liturgia del catolicismo, sino en la representación personal del creyente, en su verificación o vivificación propia. De este modo no hay poetas católicos, sino católicos poetas — como diría el Papa Pío IX —. Lo cual no evita, naturalmente, que la poesía del católico tenga o pueda tener esa resonancia o motivación espiritual y personal —humana— de su fe. Aunque también pueda no tenerla. Como sucede lo contrario, a veces; que es en la obra poética más ajena a un creador católico donde encontramos ese inmotivado reflejo o resonancia católica, esa espiritual trasparencia.

La cuestión que entonces se plantearía sería ésta: ¿cómo se juntan, si se juntan, cómo conviven, en el poeta y en sus obras, la fe y la poesía?

Desde luego, no es una cuestión psicológica, ni el llevarla a ese terreno tendría interés ninguno para nosotros. Es ésta una cuestión totalizadora y única: una cuestión de índole, si se prefiere darle este nombre, exclusivamente metafísica. Yo preferiría decir, sencillamente, una cuestión crítica. La cuestión crítica que plantea la persona humana, viva, verdadera de Lope, poeta y católico.

La cuestión no se plantea, pues, como un examen de conciencia, sino como un juicio crítico sobre el conocimiento creador, sobre lo que el también admirable poeta y católico Paul Claudel ha llamado co-nacimiento.

Por eso nos situamos así, críticamente, ante Lope como ante un poeta típicamente co-nacedor del mundo —de sus mundos —, característicamente nacional; pero no nacional de España como historia, sino de España como poesía: que es como palabra, y, en definitiva, como pueblo; o como palabra o voz del pueblo, que es voz o palabra humana, humanísima, de Dios. Por eso nos encontramos ante Lope como ante el nacimiento de una poesía, que

—si se nos perdona la simetría conceptuosa— es la poesía del nacimiento, dando a esta palabra *nacimiento* todas las resonancias imaginativas que para nosotros comporta. Nacimiento humano y divino: natural y sobrenatural: en la carne y en el espíritu. La encarnación espiritual, misteriosa, en el hombre de la gracia. El nacimiento y renacimiento sucesivo del hombre por la gracia, por el amor.

(4)

El pueblo no se hace, sino que *nace* cuando se individualiza o personifica. Lo que se hace es *la masa*. Y una *masa* es todo lo contrario de un pueblo; porque una masa es *una cosa*, y *una cosa cualquiera*. La unión hace la fuerza de la masa, o por las masas. La unificación hace a un pueblo vivo. Y esta unificación sólo en algo, o por algo, ajeno al pueblo mismo, se verifica.

(5)

La oculta, misteriosa, milagrosa dinamicidad del *nacimiento*, expresada en una inmóvil apariencia de éxtasis, es lo que nos revela el secreto de la poesía lopista; por el nacimiento de la poesía como por la poesía del nacimiento.

Pues por este movimiento de amor se llega al éxtasis, que no es muerte o paralización del movimiento en Lope, sino plenitud de él con apariencia quieta, como en los astros. Es como la representación extática que de la máxima dinamicidad del amor se nos ofrece en los *nacimientos* populares de nuestra Navidad doméstica. Los mejores *nacimientos* son los que absorben en éste, su significativo sincronismo, mayor pluralidad de figuraciones anacrónicas: hasta trenes, automóviles, aviones, luces eléctricas, etcétera. Porque así se hacen los más ricos de concentración imaginativa, espiritual, en sus breves tiempos y espacios absolutos. De este modo *todo puede ser uno*, como quiere Lope: sin unirse. Porque la unidad del ser, que es, en definitiva, la raíz humana y entrañable, de todo lo que llamamos *pueblo,* se expresa espiritualmente de ese modo puro, analfabeto, en la representación popular de los *nacimientos* españoles. Es lo que entendió e hizo Lope. Y en ello radica, vivamente, su auténtica popularidad. Por eso quiso unificarlo todo, amorosamente, sincronizando, al modo de lo popular español, la historia y la poesía. Por la animación, por el aire.

(6)

"Todo en Lope se resuelve en poesía, y todo se resuelve en poesía en el mundo. La sensualidad de Lope no es, en último término, sino una forma de poesía. Y quitarle a Lope, con un piadoso baño lustral, esa sensualidad, sería tanto como cegarle su rico minero de inspiración constante y fluida. No lo hagamos. Dejen en paz los filisteos a Lope". — (Azorín. *Lope en silueta,* 1935.)

El disparate en la
literatura española

Al recuerdo de
Antonio Machado

Cosa fuera de razón, salida de razón y contraria a ella, nos dicen los diccionarios académicos que es el disparate. Cosa fuera de la razón, que sale de razón, puede serlo. Pero ¿contraria a ella? También sale la bala de la escopeta y no es contraria a ella; al revés: por salir, por ponerse fuera, es la corroboración de la escopeta: su razón de ser y su sentido; su finalidad, su consecuencia. La bala puede dispararse contra todo: contra lo vivo como contra lo muerto, contra lo que sea, menos contra su escopeta que la dispara, pues ni aun saliendo el tiro por la culata, ni aun explotando al disparar, se dispara la escopeta contra sí misma, sino contra quien la dispara; del mismo modo, como la bala, el disparate puede dispararse contra todo, lo vivo y lo muerto, el hombre o las cosas; lo único que no puede hacer es ir contra la razón de la que sale o que lo dispara, porque la razón es su disparadero precisamente: su disparador automático. Pues no es la escopeta la razón de ser de la bala, sino la bala la de la escopeta. No se hizo, no se hace, la bala para la escopeta, sino la escopeta para la bala. No se hizo la razón para el disparate, es verdad: pero sí se hizo, y se hace, el disparate para la razón: para darle cauce y sentido, dirección y finalidad al pensamiento; a las explosiones más peligrosas, por más vivas, del pensamiento. La escopeta es el instrumento de la bala y la bala su objeto mismo. La razón es, como si dijéramos, el cañón de la escopeta del pensamiento. La bala, el disparate. Por eso, lo primero no es la escopeta: lo primero es la bala. Lo primero es el disparate.

Esta perogrullesca demostración nos lleva como de la mano a empezar por exigir razonablemente para el disparate aquellas consideraciones que le corresponden, que le son más debidas, puesto que nadie se las da: las de la primacía del pensamiento.

Si un Fausto español, más o menos fausto o infausto que el alemán, pretendiera, disparatadamente, como hacía el de Goethe, interpretar el inicio evangélico de San Juan: "en el principio era el Verbo...", buscándole sustituciones hasta dar con aquella desatinada de: "en el principio era la acción"; seguramente ese Fausto español que digo — si fuera posible un Fausto español — hubiera podido decir, con más tino dentro de tan desatinado propósito, que *en el principio era el disparate.* Lo cual digo que sería más atinado, porque, al menos, corroboraría con tal definición adecuadamente su propósito. Al mismo tiempo que no llegaría con ella a contradecir la palabra evangélica, sino, en todo caso, a subrayarla: a señalarla, tangencialmente, con esta su disparatada pero atinada afirmación. Pues ¿qué mayor y más puro disparate que encarnar el Verbo divino en lo humano; hacerse Dios hombre y padecer y morir como hombre, sin dejar de sernos divino? ¿Qué más sublime disparate que el del cristianismo? Disparate, sí: que no desatino, ni, mucho menos, tontería. El verdadero disparate es atinado siempre. Por razonable o por racional: o por razonablemente irracional. Pues — y esto ya es empezar a definirlo, a evidenciarlo — el disparate y el desatino no son, no pueden ser equivalentes. Y en cuanto al disparate y la tontería, son las dos cosas más opuestas, más contrarias del mundo.

Lo que pasa es que en nuestro lenguaje habitual solemos confundir, como tantos otros, estos términos. Mas es primordial deber el del escritor el precisarlos. No es otro mi propósito.

Generalmente, cuando alguien nos dice que piensa hacer un disparate, es que va a hacer alguna tontería. Todo el que empieza por proponerse hacer un disparate acaba por hacer una tontería. Yo estoy tan desesperado — suelen decir — que acabaré por hacer algún disparate. Y, efectivamente, el que tal dice, acaba por hacer lo que ha empezado por decir: una tontería. Porque decir que se piensa hacer un disparate es ya una tontería. El disparate no se dice, se hace: pues cuando el disparate se dice, cuando el disparate se puede decir, es que ya se ha hecho. Del decir al hacer, en el disparate, no hay trecho ninguno. El disparate es siempre *dicho* y *hecho*. Por esto es poético: creador. Porque el disparate procede siempre por invención, por hallazgo; y por invento detonante como el de la pólvora: por explosión. Por eso, la primera impresión que nos causa un disparate es la de que *nos choca*. El disparate es explosivo: choca con nosotros, y al chocarnos, detona. El disparate es chocante, detonante para el pensamiento. Por eso se hace sin pensar, o mejor digo, sin reflexionar: porque el disparate es pensamiento; es una forma inventiva, creadora, poética del pensamiento. Dicho y hecho, sin más. Explosivamente. Cada vez que se hace un disparate se inventa de nuevo la pólvora del pensamiento. Y cuando el pensamiento se dispara de ese modo, explosivo, luminosamente como el rayo, alcanza la máxima velocidad conocida: la de la luz. Y de ahí, el que se diga "rápido como el pensamiento": como el pensamiento disparatado, que es el pensamiento relampagueante, luminoso. Eso otro, que también suele llamarse *una idea luminosa,* es siempre un disparate.

A la suprema razón divina dieron los griegos por símbolo intelectual de poder, el rayo: y así, la razón misma, la razón más pura, nacía de la frente de Zeus rápida como el rayo, luminosamente entera y verdadera como el pensamiento: como una verdadera y luminosa idea, encarnación viva de su pensamiento divino. Pallas, o Minerva, es la razón hecha puro disparate, hecha idea divina. A no ser que fuera — que igual da — el disparate, el más puro disparate, hecho divinamente racional, hecho la humana razón misma. Porque el disparate siempre tiene razón. Lo esencial en el disparate es tener razón: para dispararla. El disparate está cargado de razón, si no no se dispararía. Y un disparate que no se dispara no es un disparate, es un dislate o un desatino o una tontería. Lo propio del puro disparate, digo, es estar cargado de razón. Y chocar, detonar, explotar por eso. Que por eso es *dispar* hasta de sí mismo; pues, lo que choca en él, es lo razonable de su ser con lo disparatado de su razón, de su razón de ser. Del ser, definitivamente, tan humano como tan divino. El disparate es, como si dijéramos, ese disparo de lo dispar que es lo más chocante del hombre: lo definitivo del hombre. En una palabra, el disparate es un estilo. Porque el estilo —como se ha dicho por Buffon— es el hombre mismo. Al menos, el hombre religioso. El hombre íntegro, total: el hombre entero y verdadero; el hombre único. Así, podríamos decir disparatadamente que el hombre cristiano, como el de los griegos —o como la idea religiosa del hombre griego— es también un puro disparate divino. El mayor disparate de Dios fue crear, hacer al hombre. Y hacerlo a imagen y semejanza suya. Por eso, el mayor disparate del hombre es creer en Dios. ¡Purísimo disparate de Dios el amar al hombre! Y purísimo, el más puro disparate del hombre, el amar a Dios; el amarle, y amarle *sobre todas las cosas* como Él quiere; como el disparatadamente nos quiere. ¿Pues no fue disparate divino encarnar el Verbo en lo humano y aquella también idea divina, luminosa idea o concepción humana, de nacer "como el rayo de sol por el cristal", disparatadamente, de las entrañas virginales de una niña, a su vez disparatadamente ideal, concebida sin mancha? Pues este sublime disparate, que no es desatino ni tontería, de nuestra fe (lo es de la mía) que es la razón de ser de nuestra vida cristiana, de nuestra disparatada vida —esto es, de nuestra caridad o amor disparatado y de nuestra esperanza o disparatada desesperación— este sublime disparate de la vida y la muerte de un Dios hecho hombre, de nuestro Cristo, y de su pasión, disparatadamente humana y divina: todo este misterioso disparatado de nuestra fe, ¿no arraiga el pensamiento mismo en su disparatado empeño humano de hacerse divino o ansia divina de ser humano? ¿No es éste el disparate humano y divino —religioso y cristiano— más disparatado de todos, el disparate de los disparates? El disparate total y único: totalizador y unificador; el disparate verdadero, el disparate *como un templo*. Pues en este humano radicalismo disparatado de lo divino, o en este divino radicalismo disparatado de lo humano, que es el cristianismo, se encierra, a mi parecer, el secreto, el secreto a voces — el equívoco espiritual y verbal — de toda nuestra poesía española: la más humana por más cristiana; la más española, también, por eso. Es ésta la razón de ser de todas las formas disparatadas de esta poesía, de todos estos disparatados lenguajes poéticos. Del lenguaje disparatado de nuestros mejores artistas; en pintura, en arquitectura, en escultura, en música. Del lenguaje disparatado de nuestros moralistas y ascetas; del de la picaresca; del lenguaje hecho vida de nuestros conquistadores y misioneros, del de nuestros santos... En suma, el disparadero o disparatario verbal, espiritual, de todas nuestras cosas españolas. El *disparate en piedra* — que tal dijeron en el XVIII — de nuestro barroco más puro. El de la escultura policroma de los imagineros renacentistas. El disparate en prosa de nuestros predicadores barrocos; el de nuestros teólogos y místicos. El disparate en verso de los líricos. El enorme disparate del teatro, del más disparatado teatro del mundo: el lopista y calderoniano. La expresión disparatada de la vida, en fin, en todo el arte genuinamente español. En todas las formas de este arte tan verdaderamente extremado.

Seguramente nuestras artes plásticas me darían ocasión más fácil para llamar la atención sobre ese substratum íntimo de lo español que es el disparate; la pura invención disparatada, expresión extrema, como digo, definitiva, de la vida. El disparate en piedra del barroquismo a que he aludido. O, más claros ejemplos, la pintura de Goya o Picasso. El claro disparate de Goya y el clarividente de Picasso. Porque estos ejemplos evidencian su estilo claramente: nos entran, como suele decirse, por los ojos. Por los ojos, sensiblemente, y sin tenerlo siquiera que pensar. Como nos entran por los ojos esos otros estupendos disparates españoles, tan pura y claramente extremados, de las corridas de toros o del juego de pelota vasca. Disparaderos de la vida en tan extrema consecuencia de su ímpetu, de su actividad, de su regulado movimiento, que en el uno, bordea los linderos fronterizos de la muerte, consistiendo su disparatada expresión en evitarla, en burlarla, entre sombra y sol, entre pasión y razón, entre instinto e inteligencia, burlando con ello al pensamiento al definirlo, por tan dramática disparidad y contradicción evidente, al filo mortal de tal peligro: tocando sus extremos. Y no es ilusorio disparate tampoco el que expresa, por extremado, las formas definitivas del instinto y la inteligencia de la vida en la pasión clarividente del pelotari que contiene su ímpetu en la medida justa de un empeño tan pueril y genial como es el de disparar su breve mundo, la pelota, con la mano o la pala o la cesta, para recogerlo y lanzarlo, casi eléctricamente, con tal precisión y tan exacto brío que pone al pensamiento, por rápido que quiera ir, en la casi imposibilidad de seguirle.

El disparadero del juego peligroso y justo, en la plaza callada, en el frontón vibrante, nos limpia los ojos y las mentes de turbias musarañas ilusorias, y nos hace volverlos, encendidos de claridad, a aquellos libros españoles en que, como digo, se verifica el secreto a voces del disparate que los motiva: del disparate como expresión extremada de una vida que es un estilo, porque es la expresión única y total del hombre mismo; del hombre íntegro, entero y verdadero: del hombre religioso, cristiano. Un estilo que es la unidad plena, espiritual, en la que, como pensaba Menéndez y Pelayo, radica la única posible definición viva y verdadera de lo español. Lo sustancial y lo formal de España. O sea, un estilo que es el disparadero o disparatario espiritual — religioso, moral, estético — de nuestro pensamiento.

La primera invención disparatada que nos salta a los ojos como un grito — aunque sea a los ojos de la imaginación — entrándonos por el oído: "que suele — dice Lope — dar gritos la verdad en libros mudos", la más evidente invención española disparatada es la tan conocida, aunque mal conocida casi siempre, de Cervantes en el Quijote. He aquí un disparo de lo dispar, el primer disparo de lo dispar español, esto es, un magnífico disparate que empieza por plasmársenos o figurársenos en la disparidad de dos imágenes sencillamente disparatadas. La flaqueza de Don Quijote, la gordura de Sancho, se disparan juntas por el mundo, por todos esos mundos de Dios. Disparo clarísimo, evidente, de lo dispar. Disparate estupendo. Es un simple espejismo novelesco, teatral, en que la figura se alarga o se acorta, la figura humana, disparatadamente, para chocar con todo. Los extremos se tocan y se entienden. Se identifican. Polarizan, por decirlo así, un idéntico y contradictorio, dramático sentimiento y pensamiento de la vida, al expresarla de manera tan extremada. Surge de este contacto el chispazo vivísimo del disparate. Es un corto-circuito imaginativo el de la aventura quijotesca que funde y apaga como luz artificial de burla el afán mismo novelero, caballeresco, que la enciende. El disparate se hace por Cervantes la cosa más razonable del mundo; estoy por decir que la única cosa razonable del mundo.

La extravagancia y desengaño de Don Quijote es la revelación que nos ofrece Cervantes de la persona humana como de una máscara engañosa del mundo. Don Quijote es nombre sin hombre: todo lo contrario que Don Juan en la comedia del fraile Tirso. Al entrar en escena lo primero que dice el famoso burlador sevillano es ese extraordinario disparate de que él es un hombre sin nombre. Se quita el nombre — dije alguna vez — como el que se quita una careta, arrojándonoslo a la cara, briosamente, como un reto, como un guante; echándonos en cara como un guante lo que es un antifaz. Don Quijote, por el contrario, sale a escena, sale al mundo, al gran teatro del mundo, enmascarado de su nombre. Y es o se hace a sí mismo, eso solamente: un nombre: Don Quijote; una persona, una máscara. Don Quijote está vacío: no tiene nada dentro o tiene solamente el sitio para el aire que le mueve como a sus gigantescos molinos. Don Quijote es solamente voz. Y voz en grito. Máscara. Puro disparate racional. Disparo del dramático ser humano cuando extrema su vanidad, su vacío divino, hasta expresarlo en pura personalidad, en sólo máscara:

en nombre sin nombre. Don Quijote, fuera de sí, vive de ese modo, en el mundo, enfurecido y entusiasmado o endiosado de su propia locura que no es otra cosa que el disparate de su razón de ser en el mundo, de su nombre fingido, de la máscara personal de su ser, que es, como si dijéramos, más bien un no ser, una mera, engañosa, apariencia viva. Por eso no se desenmascara hasta llegar al desengaño definitivo del mundo, de la pura vida aparencial; hasta llegar a las fronteras de la muerte. Entonces vuelve en sí; vuelve a sí, volviendo a su nombre cristiano, sustantivizando por el adjetivo de la bondad su participación verdadera del ser, del ser divino, que es la razón cristiana de ser hombre; el más disparatado modo inmortal de ser — hombre con nombre —: modo de ser divino. Y así puede decirle entonces su espejo deformador en la imagen corta, achatada de Sancho, que la mayor locura de todas es la de morirse. Pues aun cabe locura mayor y mayor disparate todavía: que es el de morirse por no morirse; de lo que vendrá a enseñarnos de palabra y de obra Santa Teresa, la mujer más razonablemente disparatada que pueda imaginarse cristianamente en el mundo.

Otros estupendos disparates hizo Cervantes. El del licenciado Vidriera, o el del Retablo de las Maravillas, por ejemplo. Su lección es la misma quijotesca. El licenciado, más disparatado que Don Quijote, se enmascara de trasparencia, y vive de su propia posibilidad de dejar de vivir, de romperse. Es decir, de la misma conciencia en que aprisiona la fragilidad de su ser, que es también un no ser, un estar vacío. Pues si se disfraza o enmascara de vidrio lo hace para evidenciarse y evidenciarnos de este modo la nada de su ser. Es un paradójico suicida inmortal. Un hombre que es la máscara que le trasparenta, en la vanidad de su empeño; máscara de vidrio, fanal o campana neumática de sí mismo; asfixia de su propio ser y no ser, de su propio disparatado anonadamiento humano. ¡Disparate maravilloso!

Y aún más maravilloso el del retablo charlatanesco, símbolo de todo el arte cervantino, en que por el arte de birlibirloque de la palabra creadora, del puro disparate, se ve y no se ve, milagrosamente: o se ve lo que no se ve. Se ve lo que apenas se mira, lo que, a muy duras penas de humana vanidad, quien más lo mira y menos lo ve afirma estarlo viendo. Disparatado truco cervantino por el que se nos muestra claramente el disparate de los disparates en que radica la vana apariencia engañosa del mundo. Disparate de disparates que Cervantes, sublime escamoteador, nos enseña, como función final de su propio arte, al mostrarnos en él su propia trampa: la peripecia y escapatoria de la vida por el desengaño definitivo de la muerte; por el desengaño que bordea luminosamente la muerte de desesperada esperanza de otra vida.

> *Vivo sin vivir en mí*
> *y tan alta vida espero:*
> *que muero porque no muero.*

¿Qué disparate mayor que éste? Morir por no morir. Vivir muriendo. Morir viviendo.

> *Sólo con la confianza*
> *vivo de que he de morir,*
> *porque muriendo, el vivir*
> *me asegura la esperanza.*

Esperanza disparatada, por desesperanzada, que anuda el corazón en la garganta antes de romperlo, de deshacerlo en llanto. A la santa escritora de Avila se le hace un nudo de llanto en la garganta este disparatado amor, esta desesperada espera: esta desigual o dispar expresión viva de su ser que la dramatiza o disparata en el tiempo, en la vida. Veamos qué disparate es este de la santa; ella misma nos lo dice o define diciendo:

241

¡Oh nudo que así juntáis
dos cosas tan desiguales,
no sé por qué os desatáis,
pues atado fuerza dais
a tener por bien los males!
Quien no tiene ser juntáis
con el ser que no se acaba;
sin acabar, acabáis;
sin tener que amar, amáis:
engrandecéis nuestra nada.

Admirable disparate expresivo este de un amor tan disparatado;
sarta o rosario de verdaderos disparates que son el exponente
amoroso, delicadísimo, de aquel *santo desatino* que llamó la santa
con humildad de pecadora a su *divino disparate* de amor, de vida.
Disparate humano y divino — *¡oh nudo que así juntáis cosas tan
desiguales!* — el de morir viviendo, el de vivir fuera de sí, enfurecida, enfervorecida, o entusiasmada verdaderamente por Dios;
disparate de vivir o querer vivir dentro de Dios por Cristo: jun-
tando la nada del no ser, *con el ser que no se acaba.* No es personal por eso, como el de Don Quijote, este disparatado entusiasmo.
Pues este engrandecimiento de la nada del ser — de la vanidad
de lo humano — no se llena de aire, no se agranda o dilata por
la voz, que la máscara o personalidad proyecta por los aires hasta
el cielo, como un grito, sino que se llena de silencio divino, de palabra divina: de amor. El Verbo se hace hombre y se enciende
en lenguas de fuego por amor humano. Se hace lenguas del amor
humano. Santa Teresa, *la sin hueso,* se hace lenguas del amor divino; se hace lengua, lenguaje milagrosamente disparatado, del
pensamiento. Y no es *más voz que carne,* como el ruiseñor de
Lope de Vega, sino, al contrario, más carne viva, más lengua o
lenguaje en carne viva que voz: más disparatada pluma cantora
o habladora terrestre en los aires, del silencioso, amoroso lenguaje musical de los cielos. Es esta voz desnuda de la santa, voz en
carne viva, la que empezará, y acabará, pretendiendo, disparata-

damente, para salvarse del naufragio carnavalesco de la vida, del mundo, de las personas dramáticas humanas, de la inacabable variedad de todas las máscaras humanas — la que tanto atormentaba al pobre Nietzsche — "asirse de Dios" como de un clavo ardiendo que le traspase el corazón con su punzante fuego. "Asirse bien de Dios que no se muda" es lo que ella quiere. "Mirad bien — nos dice — cuán presto se mudan las personas y cuán poco hay que fiar de ellas y así hay que *asirse bien de Dios, que no se muda.*" Disparate perfecto.

Herida vais del serafín Teresa — le dirá Lope en un admirable y disparatado soneto: *Corred al agua, cierva blanca y parda.* Pues así nos la muestra cazada por el ángel, disparatadamente: como humilde *cierva blanca y parda*:

> *Serafín cazador el dardo os tira*
> *para que os deje estática la punta*
> *y las plumas se os queden en la palma.*

Ved aquí, en el soneto de Lope, perfectamente, exactamente definido el *santo desatino* de Teresa: su divino disparate; vedla clavada por el dardo angélico en el éxtasis del más disparatado amor, el que la dispara desde el cielo; vedla con plumas del cazador celeste en la mano — en la palma y como palma — como plumas de ángel, para describirlo, para encarnarlo, en ese canto de amor, concepto del amor divino, lenguaje puramente humano en el que nos expresa toda su vida, su verdadera vida, poniéndola en el disparadero de la muerte: en imaginarios castillos en el aire; sacándonos a luz, con ellos, esa intimidad de su alma, extremada en tan disparatado empeño por la desesperada esperanza de la muerte; por un amor que es la confianza en que vive de tener que morir: *porque muriendo, el vivir le asegura su esperanza.*

Esta muerte que asegura la amorosa esperanza, desesperada de esta vida, es la que solicita aquel cantar español, tan disparatado y que ha sido, por eso, constantemente repetido en la poesía del xvii. Tanto, que es como su secreto más puro: el manantial inagotable que oculta su latido como si fuese un corazón; y lo es, el corazón lírico de toda esta viva expresión humana en que se extrema el lenguaje disparatado de nuestro más hondo, íntimo, verdadero pensamiento. El poeta, puesto ya en el disparadero de este pensar, que es un sentir, un pensar y sentir la vida que cala hasta los huesos, hasta el invisible esqueleto mortal que la sostiene y fundamenta, pide a la muerte que venga *tan callada como en la saeta* —dardo de amor angélico— *tan tapada, tan escondida, que no se sienta venir.* Y añade: *porque el placer de morir no le vuelva a dar la vida:*

> *Ven muerte tan escondida*
> *que no te sienta venir,*
> *porque el placer del morir*
> *no me vuelva a dar la vida.*

Es éste un extraordinario, asombroso disparate, que llega a su colmo cuando se nos habla *del placer del morir.* Pues más aún, también este disparate del placer del morir tiene su por qué —naturalmente, disparatado—, y este por qué es el que viene a decirnos, disparatadamente, Lope de Vega. Veamos cómo:

> *Muerte, si mi esposo muerto,*
> *no eres muerte sino muerta.*

Disparate estupendo. La muerte muerta. Disparate esencial del cristianismo. Cristo mató la muerte. La muerte de la muerte, este sublime disparate, le hará glosar a Lope el cantar popular diciendo:

> *Si hay en mí para morir*
> *algo natural, ¡oh muerte!,*
> *difícil de dividir:*
> *entra por mi amor de suerte*
> *que no te sienta venir.*

Luego es el amor, el que disparado y disparatado por la fe, por la caridad, por la esperanza, en una palabra, por la palabra divina, por el lenguaje santo del espíritu; es el amor lo único que hará entrar a la muerte en nosotros de suerte que no la sintamos; haciéndonosla tan leve, rápida, ligera, como la pedía Santa Teresa. La buena muerte. Porque la otra, la mala muerte, es *perezosa y larga;* y a ella se dirige Lope diciéndole:

> *Y si preguntarme quieres,*
> *muerte perezosa y larga,*
> *por qué para mí lo eres,*
> *pues con tu memoria amarga*
> *tantos disgustos adquieres,*
> *ven presto, que con venir*
> *el por qué podrás saber,*
> *y vendrá a ser, al partir,*
> *pues el morir es placer*
> por qué el placer del morir.

Este *por qué* es el que le demandó a Lope su público impaciente y ávido de disparates, pero de verdaderos, puros disparates. Este es el *por qué* de la *cólera española;* de la impaciencia de un español del XVII cuando se sentaba para esperar; cuando quería esperar sentado; el disparatado *por qué* de *la cólera de un español sentado* que motivó, como sabemos, la comedia de Lope según confiesa él mismo en su "Arte nuevo de escribir comedias en este tiempo" (que es el arte siempre disparatadamente nuevo de escribir comedias en el tiempo, el arte dramático de contemporizar). Este es el *por qué* de la invención disparatada del teatro lopista: la esperanza que nace y se mantiene de la desesperación, de la cólera de quien, para esperar, se sienta y desespera; la impaciencia del que espera sentado, del que espera desesperando y quiere, por eso, que *le representen en dos horas hasta el final juicio desde el Génesis.* Que otra cosa no templa esa cólera, nos dice Lope. Pues éste es el temple disparatado del español que obligó a Lope a poner en el disparadero la razón misma de su ser, de su poesía: dándole esa extremada, última y definitiva expresión disparatada a su pensamiento, a su vida, en un teatro, y por un teatro, que es un maravilloso disparate, único en el mundo. Teatro que es un disparadero poético de la razón — de la pasión, del pensamiento, de la vida — tan extremado, que logra las formas, las expresiones, las verdaderas maravillas disparatadas que todos conocemos.

La impaciencia, la cólera, del que espera sentado, del que espera desesperando, es esa paradójica, disparatada, dramática inquietud del que se está quieto. Y esa disparatada inquietud es la que trasmite al teatro lopista, al maravilloso retablo poético inventado por Lope, su movilidad extraordinaria, su dinamicidad creadora, su casi mágica prodigiosa. Mutación, movimiento disparatado, rapidísimo, que se genera paradójicamente, dramáticamente, disparatadamente, en la quietud, en lo inmóvil, en la más asombrosa calma: la del desengaño de la vida, de la desesperación de esta vida y esperanza de otra por la muerte. Por esto, lo que templa, lo que calma, lo que aquieta la colérica impaciencia del español sentado, es la representación plena y única, como un sueño, no de toda una vida o unas vidas, sino de toda vida: la representación viva y disparatada de todo lo mudable, lo pasajero, que, por serlo, trasparenta lo permanente, lo perdurable de tan desesperada y disparatada esperanza. *Una movilidad hecha de quietud,* todo lo contrario que el muro legendario de Víctor Hugo, es lo que representa en este disparadero teatral inventado por Lope, una pasajera inquietud reveladora de la quietud, de la permanencia divina de nuestro ser, al parecer mudable. Un asidero, en definitiva, para el pensamiento, para el alma: un disparatado *asirse de Dios, que no se muda,* como el que quería la santa. Teatro en vilo y en vuelo de pasión racional disparatada: expresión extrema de la vida — repitámoslo una vez más — por el disparadero de la muerte; por ponerse en el disparadero mortal que tan definitivamente la realiza, la verifica, la inventa, la crea.

Y ésta es la paz que el español buscaba siempre con tanta guerra, con tantas y tan disparatadas guerras, la paz de Dios. El divino asidero del que quiere, disparatadamente, que Dios le asista, que no le deje de su mano. La voluntad guerrera del que deja todo en manos de Dios para combatir consigo mismo. La santísima voluntad — religiosa y cristiana — del que no quiere hacer la suya y para no salirse con la suya entra en la de Dios; la del que entrega en manos de Dios su voluntad propia y lucha, entonces, por esa otra voluntad divina, contra sí mismo. Y ésta es la más disparatada guerra: la que tiene en la paz su razón de ser y su sentido. La guerra invisible y secreta del hombre interior que se encuentra en él mismo su enemigo. La lucha, la agonía histórica del cristianismo:

> *En la guerra que peleo*
> *siendo mi ser contra sí,*
> *pues yo mismo me guerreo:*
> *defiéndame Dios de mí.*

Enorme disparate que sintetiza en labios de Lope todo este pensamiento disparatado, que vengo diciendo, de la vida expresada y contenida por la línea de sombra de la muerte; línea que la define y hace luminosa, determinándola como un horizonte de esperanza. De disparatada esperanza.

Las cosas más disparatadas, al llegar a tales extremos, expresan la vida determinándola por la muerte: y la muerte, como término, límite, forma esclarecedora, evidenciadora de la vida: como línea de sombra que, al expresar luminosamente la vida, se hace, por extremada, igualmente, su frontera, su horizonte: la definición de su esperanza. Esta disparidad inconfundible, insuperable, de las cosas, al dispararse y disparatarse, expresa la vida y la muerte, por el amor (en Cervantes, en Santa Teresa, en Lope) como fronteras extremadas del pensamiento (las cosas, decía Nietzsche, son las fronteras de nuestros pensamientos); de un pensamiento que nos muestra la pura razón del disparate, su razón de ser en eso:

247

en el amor a la vida más disparatado; el que la prolonga sin término; el que la dispara o disparata, como perdurable, más allá de la muerte misma; el que la inmortaliza, en suma, por la fe, poniéndola en el disparadero de la fe: de una fe que es, a su vez, disparadero de la caridad y de la esperanza. Esta es la razón del disparate que encontramos en Cervantes, en Santa Teresa, en Lope... Y en disparates tales como los que venimos señalando del Quijote, la Vida de la santa, el Arte nuevo de hacer comedias en aquel tiempo. Pero esta razón del disparate se nos va a volver, ya entrado el siglo XVII — se nos va a volver como un guante, suavemente, casi sin sentir — en el disparate de la razón. Disparate de lo racional, puro disparate de lo puramente racional que alcanza su cúspide en Quevedo y Calderón. Mientras tanto lo aquilataba y destilaba en un alambique disparatado la dudosa alquimia intelectualísima de Gracián: la redomada argucia intelectual gracianesca.

No todo en el puro disparate de Cervantes, Santa Teresa, Lope, es puro disparate, aunque sea disparate puro. En ellos, el disparate tiene su razón viva, amorosa —humana y divina— concreta. Es, en cambio, puro disparate el de Quevedo, Gracián, Calderón; porque en ellos, por así decirlo, es el disparate quien razona, abstracto o abstraído, quintaesenciado; mientras en los otros, por el contrario, fue la razón vivísima, y por serlo, la que disparataba.

No es lo mismo el disparate de la razón que la razón del disparate. Aunque sean las dos cosas igualmente disparatadas. No es lo mismo la razón que disparata que el disparate que razona. No son lo mismo las razones de disparatar (las de Cervantes, Santa Teresa, Lope) que los disparates razonados, como aquellos que hicieron a Juan de la Encina chistoso personaje seudo-mitológico en el sueño infernal de Quevedo.

En Cervantes, en Lope, en Santa Teresa, la vida se dispara en su dramática dualidad, o disparidad, por la muerte, *desparejándose*, disparatándose por la muerte: y contra la muerte. En Quevedo, en Gracián, en Calderón, es la muerte la que disparata por la vida; la que se dispara contra la vida. Lo mismo, sólo que al revés. Es el disparate dicho — dicho y hecho — al revés, para que lo entendamos mejor. "Al revés te lo digo", dice el disparate popular, "para que lo entiendas". Pero es en el dicho y en el hecho, o de dicho como de hecho, el mismo disparate. El mismo, aunque no sea lo mismo.

Aunque sea el mismo disparate — el de la vida y de la muerte, disparo de lo dispar: vida y muerte; el disparate es siempre a vida y muerte —, no es *lo mismo,* digo, el disparate de la razón que la razón del disparate. La razón del disparate en Cervantes, Santa Teresa, Lope, es la de vida, la razón de la vida contra la muerte: contra la pasión de la muerte. El disparate de la razón en Quevedo, Gracián, Calderón, es el disparate de la muerte, el de la razón de la muerte — el mayor disparate — contra la vida, contra la pasión de la vida. La vida, la razón de la vida, se dispara y disparata, en los primeros, contra la pasión de la muerte; la muerte, la razón de la muerte, se dispara y disparata, en los segundos, contra la pasión de la vida. Por eso nos aparecen siempre, aquéllos, como amantes, enamorados de la vida, de toda vida; y estos otros, nos parecen, en cambio, como amantes o enamorados de la muerte.

Quevedo construye sus visiones, decía Menéndez y Pelayo, como una Danza de la muerte. Así se ha recordado con sus prosas — quizá desde un punto de vista estético puro las más extraordinarias, sorprendentes, que se han producido en nuestro idioma — las visiones pictóricas de más pura creación imaginativa: las de un Brueghel y un Bosco — tan queridos de los españoles —. El disparate, los disparates de Quevedo, alcanzan, en este sentido, las más portentosas formas del arte, del arte poético de un escritor, logradas por el lenguaje humano.

No puedo renunciar a la tentación de evocar con sus mismas palabras la presencia viva de la muerte:

"Fui con ella donde me guiaba; pero no sabré decir por dónde según iba poseído del espanto. En el camino la dije: "Yo no veo señas de la muerte, porque allá nos la pintan unos huesos descarnados con una guadaña". Paróse y respondió: "Eso no es la muerte, sino los muertos o lo que queda de los vivos. Esos huesos son el dibujo sobre que se labra el cuerpo del hombre. La muerte no la conocéis, y sois vosotros mismos vuestra muerte: tiene la cara de cada uno de vosotros, y todos sois muertes de vosotros mismos. La calavera es el muerto, y la cara es la muerte; y lo que llamáis morir, es acabar de morir, y lo que llamáis nacer, es empezar a morir, y lo que llamáis vivir, es morir viviendo; y los huesos es lo que de vosotros deja la muerte y lo que le sobra a la sepultura. Si esto entendiérades así, cada uno de vosotros estuviera mirando en sí su muerte cada día y la ajena en el otro; y viérades que todas vuestras casas están llenas de ella, y que en vuestro lugar hay tantas muertes como personas; y no estuviérades aguardando, sino acompañándola y disponiéndola. Pensáis que es huesos la muerte, y que hasta que veáis venir la calavera y la guadaña no hay muerte para vosotros; y primero sois calavera y huesos que creáis que lo podéis ser". Y en otro lugar añade Quevedo de la muerte comentando el *morirás lejos* de Séneca: "En todas partes mi cuerpo pisa la tierra y ve el cielo: a la una debo el cuerpo y al otro el alma". ("Si el cuerpo quiere ser tierra en la tierra, — el alma quiere ser cielo en el cielo" — había dicho disparatadamente Lope.) "*Morirás lejos* — comenta Quevedo —. Eso tiene la muerte, que siendo partida, no se camina; y siendo jornada, es igual desde cualquier parte. *Morirás lejos*, conmigo llevo la tierra y la muerte. *Morirás lejos*, el mundo es punto, la vida instante: ¿quién si no es loco hallará distancias en un punto? ¿Quién hallará espacios en un momento, si es cuerdo? Sólo muere lejos el que en su propia casa se persuade que está lejos su muerte". Todas estas palabras de Quevedo, todas sus disparatadas palabras, parecen, esqueléticas, *esos huesos que son el dibujo sobre que se labra el cuerpo del hombre*. La danza macabra, que decía Menéndez y Pelayo. La risa en los huesos. El disparate de la muerte. El mayor y definitivo disparate. Que como le decía Sancho a Don Quijote, al morir, cuando éste rechazaba sus locuras, la mayor locura de todas es la de morirse. El mayor disparate. Y esta inversión razonadora en Quevedo, por eso, como ante una *muerta viva,* que es mucho más disparatado disparate que el de la *muerte muerta* de Lope. La *amarga memoria* de la muerte en Lope se hace en Quevedo su *recuerdo vivo.* Aquél *en todo hay cierta, inevitable muerte.* de Cervantes, lo tiene Quevedo ante los ojos siempre, y cuadruplicado; ante sus cuatro ojos, que más ven cuatro ojos que dos; pues más lo ve quien menos lo mira:

> *y no halló nada en qué poner los ojos*
> *que no fuera recuerdo de la muerte.*

Volvamos nosotros los ojos, ahora, hacia otra parte; levantémoslos a lo alto: miremos estas otras palabras quevedescas, tan gráfica imagen disparatada de una vida:

"Fui cohete, subí aprisa, y ardiendo y con ruido en lo alto, me calificó por estrella la vista; duré poco, bajé desmintiendo mis luces en humo y ceniza" — ¡Adivina, adivinanza! — ¿No es esto Gracián? Pongámoslo en tiempo presente y tendremos la vivísima imagen de Gracián: su definición misma: "es cohete, sube aprisa, y ardiendo y con ruido en lo alto, le califica por estrella la vista; dura poco, y baja desmintiendo sus luces en humo y ceniza". ¿Para qué decir más de este nigromante o quiromántico disparatado del pensamiento, redomado hipócrita intelectual, que si por algo nos espanta y asombra es por haber logrado aquello que considerábamos más imposible en lo disparatado: aunar, yuxtaponer, conjugar el disparate con la tontería; llevar a tan complicado alambique racional esa especie de inefable tontería disparatada o destilada que le caracteriza? La tontería destilada. La tontería pura. Gracián nos ofrece, de ese modo, algo verdaderamente terrible: la vanidad definitiva de sus disparates, de los disparates de la razón. Quintaesencia de la estulticia. Con notable acierto ha señalado y demostrado Montesinos en Gracián, la expresión cúspide, piramidal, de la picaresca: la picaresca pura. El aniquilamiento o anonadamiento más disparatado de todo. Gracián es el pícaro y su puñalada. Cada agudeza disparatada de su ingenioso arte es una puñalada de pícaro del pensamiento. No debe extrañarnos, por eso, el que Gracián haya sido, acaso, el gran escritor español más conocido y estimado en Europa: esto es: en Alemania y en Francia. El disparate español necesitaba toda esa aglutinación misteriosa con la tontería, que Gracián supo darle, todo su doblez, su pliegue y repliegue picaresco, para llegar siquiera a comprenderse o a entenderse que se comprende, y a estimarse, y aun, a gustarse por paladares extranjeros. Así llegaron sus exaltadores alemanes y franceses hasta el elogio de su doblez apicarada, titulándola "dualidad heroica"; tan heroica como discreta. Dualidad heroica y *milicia contra la malicia* que es el representativo exponente espiritual de la más disparatada corrupción del disparate mismo: el de la corrupción moral del cristianismo llevada a todo el mundo por el disparatado invento casuístico; el casuismo que es el disparate, el tontísimo disparate de esa endemoniada *milicia contra la malicia,* conjunción también de la tontería y el disparate; milicia de la tontería más disparatada a la que el propio Gracián perteneció. Gracián es como un espejo intelectual, un reflejo, una proyección disparatada por el pensamiento, de San Ignacio: de San Ignacio y Ca.

"Por robador del gusto le llamarán garabato —escribe Gracián— por lo imperceptible, donaire: por lo alentado, brío; por lo galán, despejo; por lo fácil, desenfado. Que todos estos nombres le han buscado el deseo y dificultad de declararle". Deseo y dificultad de declararse: éste es el despejado —y despegado— disparate gracianesco. Nada fácil, porque: "todo despejo supone desembarazo, pero añade perfección". Gracián alcanza disparatadamente por tal despejo, por tal despego —por tal desembarazo y desenfado: por tal descaro— la perfección paradójica de la nada, la posibilidad disparatada del vaco perfecto.

El desembarazo, el desenfado es o llega a ser descaro, en Gracián, como el despejo, despego de todo; y así tenemos en el disparate de Gracián, el *garabato*, la *mueca*, que lo mismo puede ser de risa que de llanto: la mueca, que es lo menos humano del hombre, lo que le hace máscara y máscara de muerte; máscara vacía, máscara pura.

Volvamos al teatro, al disparadero del teatro. Al teatro y su Calderón. Cuando Quevedo, como decíamos, disparatado del lado de la muerte, se puso contra el patronato español de Santa Teresa, disparatada del lado de la vida, lo hacía dando su espada por Santiago: por Santiago y cierra España; España a la que Santa Teresa, como Cervantes, como Lope, quería abrir. *Santa Teresa y abre España*, era el patronato a que Quevedo se oponía, cerrando, espada en mano, contra ella — contra la santa — por ir contra él. Cerrando por Santiago. Calderón, que como Quevedo, dispara o disparata la razón también del lado de la muerte — como el Santiago patronímico, como el santiaguista Quevedo — con su esquelético teatro racional, su melodramático teatro disparatado, cierra España. Pero España es casa con dos puertas tan mala de guardar que en ella se cumple siempre su refranero: y "en donde una puerta se cierra, otra se abre":

> Si de la noche en su abismo
> cerrara el cielo español,
> muriera yo como el sol
> antípoda de mí mismo.

Ese antípoda de sí mismo es el teatro disparatado de Calderón. Sueño de la vida que es el desvelo, la vigilia alerta de la muerte.

No hay nada en todo este teatro, desde su perfección formal, la perfecta arquitectura melodramática de su figuración más disparatada, hasta el contenido o contencioso conceptismo teológico que lo determina, que no *cierre* contra la vida, tan estrechamente, que la ciñe y expresa hasta lo más último de su ser: haciendo bailar como Quevedo, ante nuestros ojos, su vivísimo esqueleto de muerte. "La verdad adelgaza y no quiebra", decía Quevedo. Calderón adelgaza hasta los huesos el teatro lopista, pero sin quebrarlo, sin romperlo. La encarnadura viva del teatro de Lope se hizo duro esqueleto verdadero en Calderón. Lo que Lope vivificaba, Calderón lo verifica. Lope miente la muerte con la vida. Calderón verifica la vida con la muerte. *Porfiar hasta morir* —dice, por amor, Lope—. *Amar después de la muerte* —responde Calderón—. Es el mismo disparate, decíamos, sólo que al revés. Es el *mismo disparate,* sólo que no es *lo mismo.* Los separa, los diferencia, su razón —y su pasión— de ser.

También los huesos del teatro calderoniano son "el dibujo sobre el que se labra el cuerpo del hombre". La línea de sombra de la muerte dibuja en él el cuerpo humano, luminosamente, encendiéndolo de pasión divina. Por eso, en Calderón, la pasión humana se intelectualiza; y sobre sus héroes dramáticos se extiende por el manto sombrío de la muerte, de la noche, la música ardiente y luminosa de los astros: de las estrellas regidoras de un destino divino vencido por la libertad humana, por el libre albedrío cristiano del hombre. "Que para vencerla a ella —la fortuna, el destino—dice la disparatada *hija del aire* calderoniana —tengo inteligencia yo". Todo en este teatro de Calderón se melodramatiza por la inteligencia, se teatraliza intelectualmente, se hace entendimiento amoroso de la vida por la muerte: se dispara racionalmente por una inteligencia mortal. *La mujer tapada* de Quevedo se hace *Señora Doña Tapada* en Calderón. La tapada señora de su amoroso pensamiento. Y a su manto de noche estrellada se acogen Segismundos y Semíramis; a la concavidad o cavernosidad entrañable y generadora, en definitiva, de su luz.

Cuando vemos los disparates que en este teatro suelen hacer los engañados de amor, o los engañados por amor, los manchados en su honor, en su honra —trágicos disparates que nos sorprenden, sobre todo por la frialdad intelectual con que se realizan— debemos pensar que estos dramáticos desenlaces calderonianos, por la violencia de esas muertes, son, también, una extremada pasión viva, una apasionada expresión vivísima: la que nos ofrece

254

por disparatada este idealismo vivo de las almas, más vivo que la sangre que cuesta, más vivo que su cuerpo mortal; más vivo que el del cuerpo muerto que nos dibuja Calderón apurándolo hasta su esqueleto danzante en esa cuerda floja extremada de su conceptismo. Se muere y se mata, en el teatro de Calderón, por una idea. Pero esta idea es, como la del teatro griego, purificadora, orgiástica, sacramental. Elementalmente sacramental. Puro aire o pura luz. Esto es, no un vacío, una idea vacía, sino llena de aire o de luz. Se muere o se mata por la fe o por la palabra: por la fe en la palabra o por la palabra de la fe. Por la *fidelidad* humana o divina. El verdadero desenlace dramático en Calderón — se descorra o no al fin la cortina reveladora del fondo invisible de su teatro — es sacramental: es el sublime disparate sacramental, en que creemos los católicos, de la presencia viva y verdadera de Cristo en la hostia consagrada por las palabras divinas: y por la *palabra* divina. El disparatado intelectualismo calderoniano, en definitiva teológico, y tomístico, dibuja así su pensamiento refiriéndolo siempre al enorme disparate espiritual de su fe, tan humana como divina. Que también es esqueleto vivo el de la sangre en el cuerpo humano y también se labra sobre él — cuando la fe se ha hecho nuestra sangre como quiere el apóstol — el cuerpo del hombre: se labra para resucitar. Esta otra *risa en los huesos* del disparadero teatral calderoniano, afirma también con su esqueleto, como todo esqueleto, para el católico cristiano, el esperado disparate final de la resurrección de la carne; del cuerpo y alma inmortalmente juntos; de la eterna vida.

Saltemos, ahora, con este trampolín del disparadero español de nuestros siglos xvi y xvii, saltando otros dos, hasta llegar al nuestro, a la literatura española contemporánea. Encontraremos en seguida tres grandes escritores disparatados, tres maestros del disparate, que lo ejemplarizan, también, como forma poética del pensamiento en expresión extremada de la vida: Valle Inclán, Unamuno, Ramón Gómez de la Serna.

Tres formas poéticas, creadoras del pensamiento, de expresión extremadamente vivas, debemos   estos tres escritores. El disparate en ellos tiene nombre propio. Es la NIVOLA de Unamuno, el ESPERPENTO de Valle Inclán, la GREGUERIA de Ramón Gómez de la Serna. Y no es esto solamente lo disparatado. Toda su literatura lo es. Porque toda la obra de Unamuno es *anivolada* o *nivolesca*. Todo es *esperpéntico* o se *esperpentiza* en la de Valle Inclán. Todo es, en definitiva, *greguería* en la de Ramón Gómez de la Serna. Advirtiéndose que no son estas denominaciones, propias del disparate, definidoras, por impropias para nada más, de su contenido concreto. NIVOLA, ESPERPENTO, GREGUERIA, no quieren decir nada: porque disparatadamente lo dicen todo. Los nombres no hacen las cosas disparatadas. Fueron las cosas más disparatadas, estas cosas disparatadas, las que hicieron sus nombres, estos nombres.

La *nivola* es para Unamuno, lo que, diciéndolo con un título suyo, se refiere no a "como se hace una novela", sino lo contrario, a como *se deshace*. Su *Vida de Don Quijote y Sancho* es esto precisamente: como se deshace una novela. Y es que en el fondo más disparatado de Don Miguel y de su "sentimiento trágico de la vida", por la muerte, hay, en definitiva, eso sobre todo: un deshacedor de lo novelesco y novelero: un quijotesco desfacedor de entuertos imaginativos. Es ésta un hambre y sed de verdad, de veracidad justa, que como decíamos de Quevedo, cala hasta los huesos. Como un frío. Como un calosfrío. Es una especie de calosfrío espiritual el que traspasa el pensamiento de Unamuno cuando éste ahonda en su propio ser y sentir, por el pensamiento, ese *sentimiento trágico de la vida,* abismando su escepticismo en esa lucha, esa agonía, ese tránsito mortal de la más disparatada por desesperada esperanza. Por eso quiere desnudarse, desenmascararse de verdades, o de verdad, en todo lo vivo: arrancarle a las cosas vivas esa su careta misteriosa. Sus agonistas o protagonistas nivolescos son expresión vivamente extremada, disparatada, de ese afán, angustioso, que los verifica en la vida, por la muerte. Tienen alma de máscara. Y es que a Don Miguel de Unamuno, como a Lutero, también lo raptó en su desnudez imaginativa la impetuosa mascarada de la vida, del mundo. El mal espíritu, disfrazado, como decía el apóstol, de angélica luz. Los dos libros más anivolados, más disparatados, de Unamuno —más aún que las nivolas mismas—, los más clara y extremadamente expresivos de su pensamiento, son, por eso, a mi parecer: la "Vida de Don Quijote y Sancho" y el poema sobre "El Cristo de Velázquez". Estas son sus dos más impresionantes máscaras raptoras: el "Quijote" de Cervantes, el "Cristo" de Velázquez. El miedo, el terror pánico del adanita, que es ese calosfrío que sobrecoge el pensar y sentir unamunesco, le hizo sentir el ansia viva y la necesidad mortal de enmascararse, de vestirse, de protegerse contra ese miedo puro de recién echado del paraíso. "Tuve miedo —dice el texto bíblico— porque estaba desnudo, y me escondí..." (Gén. I). Y en el escondite de la vida, por el miedo, como en los niños, se hace el hombre máscara de sí mismo. Entonces, llega, por tan extremada pasión viva, a querer enmascararse, esconderse de sí mismo en el disfraz trágico de la muerte, y hallándose desnudo, en lugar de vestirse, quiere, disparatadamente, desnudarse más todavía, y se despelleja, se descarna, se suicida, afanoso de verificarse en la inmortalidad viva, disparatada, de la muerte. El pensamiento de Unamuno es ese disparatado esqueleto quevedesco que salta y corre y escapa de todo, como de sí mismo, entregándose apasionadamente a las máscaras con que tropieza, metiéndose con ellas para poder meterse en ellas, dentro de ellas, como en un escondite divino: como en algo que le cubra y proteja, trágicamente, de su propio terror humano, de su agónica pasión de ser. Y las dos máscaras con que tropieza, a las que se entrega desesperado, las que le raptan, son esas dos, que digo, de Cervantes y de Velázquez: la máscara pura de Don Quijote y la pura máscara, la endemoniada máscara luminosa del Cristo velazqueño. Tropieza con ellas Unamuno al andar disparado o disparatado por la vida, precisamente porque en ellas encuentra el escondite libertador. Huye su pensamiento acosado por la persecución negra, sombría, impetuosa, como de un espantoso toro, de

257

la muerte: y alcanza en el vacío, en lo hueco, en lo hondo de esas dos máscaras divinas, su escapatoria real de lo aparente. Cuando la voz de Unamuno nos habla desde dentro de estas dos máscaras, tan profundamente superficiales, en que se ha metido (huyendo de todo, y de todos; huyendo de sí mismo; huyendo, en definitiva, de Dios) cuando nos habla desde dentro de esas máscaras luminosas, se hace su voz más honda y más clara, más firme y precisa, por la prestancia espiritual que le ofrecen con su refugio los dos grandes poetas, creadores imaginativos: el novelista y el pintor. El mayor disparate de Unamuno es éste, disparate tan español: tener alma de máscara ("alma desnuda de mortal vestido" que dijo Lope). ¿Alma de cántaro? El pueblo dice con acierto expresivo y disparatado insuperable: "tener alma de cántaro". El alma de cántaro cervantina o quijotesca, como la velazqueña, dio su aliento, su vida, su invisible sangre de fe — trasfusión espiritual de sangre —, a este escéptico Don Miguel de Unamuno, tan disparatado español.

A otro español, no menos disparatado, si no más, Don Ramón María del Valle Inclán, dio la vanidad de la vida, la oquedad sonora de la máscara, viva tumba, ese otro aspecto inolvidable de espantapájaros verdadero, de espanta-verdades y espanta-mentiras, de espanta-pensamientos. Ninguna figura española de escritor auténtico más tontamente calumniada, incomprensivamente atacada, que esta, disparatadamente bondadosa, magnánima figura humana de Valle Inclán. La vejez había ennoblecido su rostro, acentuando, por la sonrisa ("que es la flor de su figura" — dice Rubén —) esa apacibilidad espiritual, ese sosegado lirismo que trasciende, en todo lo suyo, como horizonte en una lejanía aquietadora y luminosa. El aire reposado en todo, pudo, disparatadamente, enredarse gustoso, amoroso, como pámpano, en el negro garabato expresivo de la palabra, por la sombra, por el *esperpento*. El *esperpento* es ese espanta-pájaros, que digo, convertido, por serlo de veras, tan disparatado en sus cielos, en el mejor amigo de los pájaros: el que juega con ellos y los protege, el que les ahuyenta del peligro. Espanta-sombras, espanta-sueños, por la palabra disparatada, es el *esperpento* de Valle Inclán. Espanta-malos-pensamientos. La dureza de este esqueleto aparencial *se adelgaza y no quiebra*, verdaderamente, como diría Quevedo, por la flexibilidad expresiva, lingüística. La proyección de imágenes por la palabra, por las palabras, pasa como *la figura del mundo*, suavemente irreal. La misma crudeza o violencia de los vocablos le presta esa fortísima flaqueza de lo soñado, esa irrealidad permanente de los recuerdos. Palabra evocadora. Lo más disparatado en esta dramática y melodramática poesía, es haber logrado este, aparentemente imposible empeño, de fingir, con figuras de humo, el trazo más firme y seguro, la imagen más precisa, más exacta. Trazo vivo, agudo, certero, como el que quería Ingres para decir el humo precisamente: línea, raya en el cielo; trazo de humo con que verificaba, disparatadamente, Valle Inclán, la identidad real de sus fantasmas. Por el humo (pipa de sueños) se saca al fantasma y se grita, se pone en un grito, y en el cielo, disparatadamente, como veleta, como garabato de sombra, en Valle Inclán, el espantajo fantasmal de la muerte: la realidad inmortal de la vida.

Casi al mismo tiempo que la definición mejor, más disparatada de su arte poético la encontraba Valle Inclán con su *esperpento*, tenía Ramón Gómez de la Serna el propósito de distinguir, en el suyo, el *disparate* de la *greguería*. Ramón Gómez de la Serna es el primer escritor español que, siguiendo la lección de Goya, se decide a llamar al disparate por su nombre. Disparates clarísimos: *puntuales* y *conocidos*. Y, sin embargo, aunque Ramón nos ofrezca en su estupendo libro de los *Disparates* la primera y única "Teoría del disparate" que tenemos en castellano —creo que la única que se ha escrito—, esta teoría de Ramón, con ser disparatada, en efecto, estupendamente disparatada, no alcanza, al menos en opinión mía, a definir y plantear en todas sus dimensiones posibles la magnitud humana y divina del disparate como expresión viva extremada, como forma poética del pensamiento. Yo creo que estos formidables *Disparates* de Ramón son una brevísima parte, aunque admirable, de esa enorme riqueza disparatada, la más prodigiosa riqueza de pensamiento disparatado, de poesía entera y verdadera, que hoy haya prodigado, disparatadamente, escritor alguno en el mundo. Y aunque, en definitiva, lo disparatado de toda la obra de Ramón es siempre *greguería*, no quisiera dejar de recordar con sus palabras, por el significado excepcional e insustituible de su texto, algunas afirmaciones insuperables de su "Teoría del disparate". Espigaré algunas:

"Si bien no se puede decir —escribe Ramón— sin ser un insensato, que el mundo es un disparate, el pensamiento del hombre y el alma humana son unos puros disparates".

"Realmente todas nuestras credulidades, nuestras deducciones y nuestras altiveces son disparates".

"El disparate es la forma más sincera, pues, de la literatura".

"Nada que me haya costado pensar tanto y perderme por vericuetos más intrincados y subir a alturas más altas y asomarse a abismos más hondos, que el disparate".

"Lo terrible, lo difícil, lo sangriento, es encontrar el disparate con cierta hechura humana de disparate, con la lógica concentrada de los disparates, con su singularidad correspondiente".

"He estado a punto, en noches enteras, de querer recordar los más firmes disparates del mundo, de encontrar los más perdidos; pero ya había dado tantas vueltas a mi cabeza, la había hecho hacer tantas espirales, que temí que los disparates me la arrancasen de cuajo y me la hiciesen perder definitivamente".

Y, por último, nos dice Ramón: "Aunque todos convivamos en la misma confusión especial del presente, esto no puede ser más que una cosa superficial".

Lo profundo, en nosotros, es el disparate. Cuando ahondamos en nosotros mismos, encontramos siempre ese disparate frustrado de nuestro ser: el que debió haber sido nuestra vida o lo que debió haber sido nuestra vida y, por una razón o por otra —por razones tontas, por tontería o tonterías —, hemos ido enterrando, invisiblemente, en nosotros, para siempre. Sentimos, entonces, en la vida, más que el remordimiento de los errores, de los pecados que cometimos, algo así como el remordimiento de los disparates que no hemos hecho. Toda la vida se nos llena de esta nostalgia. Y nuestra conducta nos parece el despojo de un disparate muerto. Toda la conducta de la vida se nos figura, entonces, ese resto mortal, esa huella disparatada de nuestro paso, como la de la camisa de la serpiente. De la serpiente infeliz que cambia de opinión como nosotros: cambiando de camisa. Y es que, como dijo disparatadamente San Agustín, en cada uno de nosotros vive un Adán, una Eva y una serpiente. Todos tenemos que vivir cumpliendo disparatadamente la pérdida del Paraíso. Todos tenemos que tragarnos el disparate original de la discordante manzana.

Porque el disparate es el hombre mismo. Somos un disparate divino. Somos el disparate de Dios. Somos su bala. Y el que lo seamos para perdernos o no, es el misterio de nuestra predestinación: el de la divina puntería. Entretanto, vivimos disparatadamente, aunque no queramos o no lo creamos. Por eso nos dijo en estupendo disparate Calderón que:

> "el delito mayor
> del hombre es haber nacido".

Haber nacido disparado, disparatado, deja de la mano de Dios: lanzado por ella. Lanzado, echado del Paraíso.

Desde que nacemos, nace y vive con nosotros, nos acompaña siempre, como el fantasma fraternal de Musset, ese otro yo disparatado que de cuando en cuando se nos aparece, pareciéndosenos como un hermano. El disparate humano que somos es nuestro gemelo del alma; si no es, o se nos hace, a veces, nuestra misma alma. Que así, en las postrimerías mortales del carnavalesco disparadero de nuestra vida, todos llevamos en la frente una cruz de ceniza, un *memento homo*, que nos dice: *recuerda hombre que eres disparate y en disparate te has de convertir.*

INDICE

Beltenebros 7
De la naturaleza y figuración fronteriza de la poesía ... 9
I Tiempo y alma 15
II Estructura secreta de la poesía 21
III Poética del tercer oído 31
IV La trama de la historia (Tesoro de duende) 49
V Los ojos del alma 55
Laberinto de la novela y monstruo de la novelería (Cervantes y Dostoyewsky) 77
A cierra ojos 81
Hombre perdido 83
La cuestión palpitante 86
La razón de soñar 89
El engaño a los ojos 94
La raya luminosa 99
Situación crítica 101
Tres enemigos del alma 104
Novelería y romanticismo 106
El empedrado del infierno 111
Un aburrimiento total 114
Mundo de perdición 117

El revés del mundo 121
La quimera de Balzac 124
El mundo por un agujero 129
Pasar y suceder 132
El engaño del corazón 134
Don Quijote a las puertas del Infierno 138
LAS CUATRO ESQUINAS DEL SUEÑO 141
España peregrina 143
Frenesí 143
Ilusión 146
Ficción 149
Hombre adentro 151
Las indias de Dios 158
DISPARADERO ESPAÑOL 165
La más leve idea de Lope 165
Lope, suelo y vuelo de España 167
Un verso de Lope y Lope en un verso 185
Lope, siguiendo el dictamen — Del aire que lo dibuja ... 195
Notas 221
EL DISPARATE EN LA LITERATURA ESPAÑOLA 231